P9-DEQ-890

André-Jacques Holbecq

& Philippe Derudder

avec la collaboration du collectif GRESSO
(Groupe de Recherches Économiques
pour un Système SOciétal)

LA DETTE PUBLIQUE, UNE AFFAIRE RENTABLE

À qui profite le système ?

Préface de

Étienne Chouard

5 allée du Torrent - 05000 Gap (France)
Tél. 04 92 65 52 24
www.yvesmichel.org

Des mêmes auteurs :

André-Jacques Holbecq
Un regard citoyen sur l'économie, Éd. Yves Michel, 2002
Une alternative de société : l'écosociétalisme,
Éd. Yves Michel, 2005

Philippe Derudder
La renaissance du plein emploi ou la forêt derrière l'arbre,
Éd. Guy Trédaniel, 1997
Les aventuriers de l'Abondance, Éd. Yves Michel, 1999
Rendre la création monétaire à la société civile,
Éd. Yves Michel, 2006

Ensemble
Les 10 plus gros mensonges sur l'économie, Éd. Dangles, 2007

Couverture : marie-loiseau@wanadoo.fr
Mise en page : A' Prim / Fouras (17)
Impression et façonnage : Louis-Jean / Gap (05)
Imprimé sur papier recyclé, à base d'encres végétales

Dépôt légal : mai 2008
ISBN 978 2 913492 56 1

5 allée du Torrent - 05000 Gap (France)
Tél. 04 92 65 52 24
www.yvesmichel.org

Table des matières

Remerciements

Merci une nouvelle fois à tous nos amis les humains, ceux d'ici que nous connaissons et ceux d'ailleurs qui nous connaissent au moins de façon épistolaire.

Merci à tous les lecteurs de nos autres livres qui, par leurs critiques et leurs questions, ont permis la naissance de celui-ci.

Merci à ceux du GRESSO qui alimentent, soutiennent et enrichissent nos travaux.

Merci à Yves Michel, pour son combat pour un monde plus juste et plus fraternel.

Merci à nos épouses, enfants et proches qui continuent à nous « supporter ».

Merci également aux nombreux auteurs qui ont orienté la teneur de ce livre. Au risque d'en oublier beaucoup, citons M. Aglietta, M. Allais, A. Chaineau, D. Clerc, J. Creel, F. Lordon, J.-M. Harribey, H. Kempf, B. Maris, L. Pfeiffer, D. Plihon, J. Robertson, O. Rocca H. Sterdiniak, G. Soros, J. Stiglitz, P. Viveret...

« Il est une chance que les gens de la nation ne comprennent pas notre système bancaire et monétaire, parce que si tel était le cas, je crois qu'il y aurait une révolution avant demain matin. »

Henry Ford (1863-1947)
Fondateur de la Ford Motor Cie

Préface

par Étienne Chouard[1]

Tous les citoyens devraient parfaitement connaître les mécanismes élémentaires de la création monétaire et de la dette publique : notre émancipation politique et économique dépend directement – et inévitablement – de notre émancipation monétaire. À ce simple titre, ce livre est important et pourra sans doute changer votre compréhension du monde, comme il a changé la mienne.

J'étais, en 2005, tout entier consacré à l'analyse de nos institutions (françaises et européennes) ; j'avais compris, cette même année, que *ce n'est pas aux hommes au pouvoir d'écrire les règles du pouvoir*, que tous les abus de pouvoir étaient rendus possibles par la malhonnêteté des processus constituants. Je discutais sur mon *forum* des grands principes d'une bonne Constitution, et nous écrivions sur le *wiki* une *Constitution d'origine Citoyenne*, ce que j'appelle le site du *« Plan C »*.

1. Etienne Chouard a acquis une certaine notoriété par sa campagne personnelle contre le traité établissant une constitution pour l'Europe. Le 25 mars 2005, il publie une analyse critique envers le Projet de Traité Européen, se présentant comme un citoyen sans parti, sans étiquette et sans ambitions politiques personnelles... et des centaines de milliers de visiteurs affluent sur son site dans les semaines qui suivent (http ://fr.wikipedia.org/wiki/ %C3 %89tienne_Chouard)

J'avais donc commencé à construire un outil – que je crois inédit et prometteur – pour une prochaine émancipation générale. Mais je négligeais complètement, par ignorance, un point absolument essentiel, un point à cause duquel toute solution politique semble effectivement interdite. André-Jacques Holbecq est venu un jour sur le forum du *Plan C* et a créé un fil étrange dont le titre était *« Reprendre la création monétaire aux banques privées »*...

La réaction fut rapide et le fil de discussion est devenu un des plus actifs et riches du site : nous progressons tous ensemble assez vite sur ce sujet décisif et méconnu : ce sont les banquiers privés qui maîtrisent le pouvoir politique, et la maîtrise privée de la création monétaire est un verrou diabolique qui interdit en profondeur tout *droit des peuples à disposer d'eux-mêmes*.

Par habitude, par ignorance, par négligence, nous acceptons sans le savoir une profonde servitude non nécessaire : il n'y a rigoureusement aucune raison d'abandonner la création monétaire aux banques privées.

Ainsi, des sommes considérables, celles des intérêts de toute cette création monétaire privée, sont retirées depuis des décennies à la collectivité française, dans la plus grande discrétion et sans la moindre justification politique ou économique, et sans le moindre débat public sur le sujet.

De plus, une dette publique extravagante, annuellement renouvelée, complètement asphyxiante pour les services publics et pour le bien-être général est née de cette invraisemblable ponction. Cette dette est très injustement imputée à la prétendue incurie de l'État : il n'en est rien, puisque les dépenses publiques restent assez stables en France depuis des décennies. Non, c'est bien d'un racket privé de la richesse publique qu'il est question à la source de la dette publique, depuis 1973 en France, et partout dans le monde ; à l'évidence, *l'internationale des banques* existe déjà bel et bien, et il est plus que temps de la repérer et d'en décrire les méfaits.

Comprendre cette servitude injuste et la faire connaître à tous les citoyens, c'est déjà préparer notre prochaine libération.

Puisqu'on m'en donne ici l'occasion, je vais remercier André-Jacques Holbecq et Philippe Derudder du fond du cœur : ils ont, dans leurs différents livres, écrits seuls ou en commun, considérablement enrichi mon analyse politique des *abus de pouvoir* en me rendant sensible un rouage déterminant dans l'oppression des hommes (nés libres) par le travail forcé. Tous deux cherchent honnêtement, ils écoutent tout le monde, ils passent des milliers d'heures à expliquer et expliquer encore ce qu'ils ont compris.

Et, puisqu'il est presque mon voisin, André-Jacques devient un ami : et je le vois progresser à toute vitesse, en nous emmenant avec lui.

Il est généreux et pragmatique, il reconnaît tout naturellement ses erreurs, son action est utile, très utile, pour le bien public. Je suis heureux de l'avoir rencontré et je vous engage à le découvrir à votre tour.

Étienne Chouard

Petite histoire absurde d'une dette qui court... qui court...

Le 1er janvier 2008, vous voilà dans le besoin d'acheter une voiture afin de pouvoir vous rendre à votre travail. Votre banquier compatissant crée et vous prête 10 000 euros au taux raisonnable de 7,2 % l'an.

Hélas, vous avez mal calculé votre budget et vos revenus ne vous permettent de rembourser ni les intérêts ni le capital pour le moment !

À chaque échéance, vous voilà dans l'obligation d'emprunter en plus, auprès de votre banquier (toujours compatissant), le montant des intérêts que vous devez sur ce que vous avez déjà emprunté !... La roue tourne et d'année en année, globalement, la dette augmente.

Janvier 2018 : la voiture a 10 ans. Elle ne vaut plus rien, mais vous, vous êtes redevable de 20 000 euros

Janvier 2058 : vers la fin de votre vie, vous devez maintenant 320 000 euros... mauvais plan pour vos héritiers.

Janvier 2108 : il y a juste 100 ans que vous avez pris ce crédit de 10 000 euros: vos enfants, à leur tour vieillissants, doivent maintenant plus de 10,2 millions d'euros aux successeurs de votre banquier compatissant...[1]

• • •

Absurde ?

Et si cette petite fiction n'était que la triste réalité du peuple français, et de tant d'autres?

La dette des administrations publiques qui s'élevait à 229 milliards d'euros au début de 1980, avoisinait les 1142 milliards fin 2006, soit près de cinq fois plus, vingt-six ans plus tard.

• • •

1. Le nombre 72, divisé par le taux d'intérêt, donne le nombre d'années nécessaires pour voir un doublement d'une créance ou d'une dette (exemples : à 9 %, intérêts cumulés, le capital double en 8 ans, et à 7,2 % d'intérêt, la période de doublement est de 10 ans). C'est ainsi que les croissances deviennent exponentielles...

Subtilité de langage

Si vous obtenez un prêt pour vous acheter une maison, on vous a fait crédit... Vous sentez-vous honteux pour autant ? Bien au contraire ; si vous êtes éligible au crédit, c'est que l'on a confiance en vous. Vous « valez » au moins ce qui vous a été prêté.

Mais si d'un seul coup on appelle cela « dette », il y a comme un poids qui tombe sur vos épaules, doublé d'un vague sentiment de culpabilité. Autant le crédit est valorisant, autant la dette est « honteuse ». Or dette et crédit sont synonymes. Lorsque vous sortez de la banque, tout heureux d'avoir obtenu votre crédit, vous avez une dette du même montant. Mais le langage est ainsi fait que parfois, des synonymes ne signifient pas la même chose. Pourquoi parle-t-on de la dette de l'État ? Voudrait-on nous culpabiliser ?

Il est aussi une autre subtilité : L'intérêt sur la dette... On appelle cela le « service de la dette ». Penser que certains pourraient avoir « intérêt » à la dette publique ! Allons donc. Mais que certains aient rendu l'immense « service » de prêter à la collectivité, quelle grandeur d'âme. Si la somme rondelette que l'État français verse à ce titre tous les ans était appelée « intérêt de la dette », on pourrait avoir la tentation de se dire : « Ah oui ? Et qui a donc intérêt à cela ? » Question gênante que l'on n'a sans doute pas envie que l'on approfondisse. Alors mieux vaut l'appeler « service de la dette »... dans l'espoir peut-être que l'on se demande : « Mais qui a eu la gentillesse de nous rendre ce service-là ? »

• • •

Subtilité de langage

Chapitre 1.

Histoire en raccourci de la monnaie et des banques

Le « cauri », petit coquillage, est à notre connaissance une des premières monnaies utilisées par les hommes.

En Europe, on trouve les premières traces de monnaie métallique chez les Grecs, au VIe siècle av. J.-C.

La monnaie[1], qu'elle soit faite de métaux pauvres, métaux précieux, coquillages ou autres « objets », est la représentation symbolique d'une certaine quantité de biens. Lorsque ces biens deviennent trop importants pour que leur contrepartie en monnaie ne puisse plus être, à leur tour, manipulée ou transportée facilement, l'étape suivante est la mise en place d'une monnaie de second niveau, la monnaie-papier. Le billet de banque est apparu en Chine dès le VIIIe siècle, donc bien avant l'Europe. Il ne représente originellement qu'une dette payable à vue sous forme de métal ou d'autres biens.

Jusqu'au XIXe siècle le système bimétallique prévaut. Les monnaies sont définies à la fois par rapport à l'or et à l'argent (métal). Les découvertes minières font

1. Le terme « monnaie » vient de ce qu'elle était frappée dans un atelier proche du temple de Junon « Moneta » à Rome.

fluctuer les proportions entre les deux métaux. Au début, les pièces valaient « leur pesant d'or ». Mais la rareté du métal précieux fut un problème récurrent tout au long de l'histoire, ce qui conduisit à dévaluer les monnaies en utilisant des alliages où la part de métaux vils augmentait, à introduire la monnaie de papier et développer le crédit. Toutes ces pratiques permirent de contourner l'obstacle que représentait le manque de métal et de faire face aux besoins, bon an, mal an.

C'est à partir du XVIIe siècle que l'usage du « papier-monnaie » va se développer en Europe sous l'impulsion du suédois Johan Palmstruch en 1656. L'idée maîtresse est de mettre en circulation de la monnaie de papier supérieure en valeur à celle de la couverture en or. L'essentiel est que tout le monde n'aie pas envie de venir au même moment échanger ses billets contre de l'or. C'est ce qui se passera notamment en France et mettra en faillite, en 1720, le système que John Law avait réussi à implanter.

1694 – Création de la première banque centrale : la Banque d'Angleterre, privilège qu'obtinrent les principaux banquiers londoniens contre un prêt consenti à la couronne.

L'usage de la monnaie-papier, en dépit des crises, se généralise au XVIIIe et XIXe siècles. C'est le début de l'ère de « l'étalon or ». Le franc restera gagé sur l'or jusqu'en 1914, date à laquelle est décrété le cours forcé de la monnaie, autrement dit l'abolition de l'obligation de convertibilité en or des billets. La plupart des pays belligérants feront de même. La première guerre mondiale, qui ne devait durer que quelques semaines en raison du manque d'argent, put ainsi s'éterniser...

Lors de la conférence de Gênes (1922), les États-Unis choisissent de conserver l'étalon-or classique. Le dollar repose sur l'or, la livre britannique sur le dollar, et les autres monnaies européennes sur la livre britannique.

En 1931 le Royaume-Uni abandonne le système de monnaie convertible en or, afin de pouvoir augmenter sa masse monétaire,

En 1934, le dollar est défini comme 1/35 d'once d'or[1]. Les accords de Bretton Woods en 1944 confirment un système monétaire qui repose sur le dollar, seule monnaie encore ancrée à l'or.

Le 15 août 1971, Richard Nixon décide de supprimer la libre convertibilité du dollar américain fixé jusque là à 35 dollars l'once d'or. C'est l'abandon de l'étalon-or

À partir de mars 1973 est établi le régime des « changes flottants » : les monnaies varient entre elles suivant l'offre et la demande. **Il n'y a plus de contrepartie métallique à la monnaie émise, seulement de la dette.**

L'histoire du système bancaire est le suivant : dès le Moyen Âge, les orfèvres, installés sur des bancs[2] à l'entrée des villes pèsent et titrent les métaux. Ils reçoivent des dépôts en or et émettent en contreparties des « certificats de dépôts » fort utiles aux marchands qui traversent des contrées parfois dangereuses. Ces certificats seront parfois émis d'une manière excessive par rapport aux dépôts, ce qui aura pour conséquence des faillites de banques. Le XIXe siècle voit apparaître le monopole d'émission à l'État qui s'impose des règles d'émission rigoureuses.

1. 1 once = 28,3495231 grammes.

2. Étymologie du mot BANQUE (d'après http ://www.apfa.asso.fr/) : banca (ancien italien), mais aussi, de manière indirecte, « bank » (germanique). Le mot « banca » désignait le banc (« banco » en italien actuel) puis la table ou le comptoir des négociants et changeurs italiens qui vinrent exercer leur activité en France. Lorsqu'un négociant était en faillite, sa « banca » était rompue (« banca rotta » a donné banqueroute).

L'ancien français connaissait le mot banc, d'origine germanique, pour lequel il existait aussi le féminin « banque » (le mot est féminin en allemand). Il s'est produit un mélange entre les deux mots et l'orthographe actuelle en conserve des traces : banque, banquier, banqueroute... et bancable, bancaire...

La Banque de France[1] est créée le 18 janvier 1800. Cet établissement est chargé d'émettre des billets payables à vue et au porteur, en contrepartie de l'escompte d'effets de commerce.

Elle est organisée sous la forme d'une société par actions, au capital de 30 millions de francs, dont une partie est souscrite par le Premier Consul Napoléon Bonaparte et plusieurs membres de son entourage. Les 200 actionnaires[2] les plus importants constituent l'Assemblée générale.

Le 16 janvier 1808, un décret impérial promulgue les « statuts fondamentaux » qui vont régir jusqu'en 1936 les opérations de la Banque de France.

Le privilège d'émission[3] accordé à la Banque de France en 1803 est généralisé, en 1848, à l'ensemble du territoire français après l'absorption des banques départementales d'émission. La crise provoquée par les troubles de 1848 entraîne l'institution du « cours forcé » qui dispensait l'Institut d'émission de rembourser les billets qui lui étaient présentés[4]. Par ailleurs, le montant des émissions n'est soumis à aucune limitation mais la Banque doit être en mesure d'assurer le remboursement à vue, en espèces métalliques, des billets qu'elle émet.

Le cours forcé et le cours légal[5] sont successivement abandonnés ou rétablis au gré de l'évolution de la

1. Ce qui suit, sur l'histoire de la Banque de France, est librement transcrit du site internet de la Banque de France.

2. Les 200 familles !

3. À cette époque, la Suède et l'Angleterre disposaient déjà d'un institut d'émission.

4. Jusqu'en 1848, les billets de la Banque de France avaient « cours libre » (ils pouvaient ne pas être acceptés en paiement).

5. Supprimés par la loi du 6 août 1850, puis remis en vigueur pendant la guerre de 1870, le cours forcé et le cours légal cessèrent ensuite de se confondre. L'expression « cours forcé », ou inconvertibilité, correspond au régime monétaire dans lequel les banques sont dispensées d'échanger le papier-monnaie contre du métal précieux. Le cours forcé devait être successivement abandonné ou rétabli au gré de l'évolution de la situation financière du pays. Au contraire, le cours légal (obligation d'accepter les billets en paiement) ne devait plus être remis en cause après 1870.

situation financière du pays entre 1850 et la guerre de 1870. Ils ne sont plus remis en cause après 1870, jusqu'en 1914.

En contrepartie de son privilège d'émission, la Banque de France est amenée à assurer gratuitement le service de caisse des comptables du Trésor et à consentir des avances à l'État lorsque la situation des finances publiques l'exige.

Par la loi du 24 juillet 1936, le gouvernement du Front populaire donne aux pouvoirs publics des moyens d'intervention plus directs dans la gestion de la Banque. Deux des vingt conseillers sont élus par l'Assemblée générale. Les autres, représentant les intérêts économiques, sociaux et collectifs de la nation sont, pour la plupart, désignés par le gouvernement. Un conseiller est élu par le personnel.

La nationalisation qui intervient après la Libération, avec la loi du 2 décembre 1945, confirme le rôle de « service public » de la Banque de France. Celle-ci prévoit que le capital de la Banque sera transféré à l'État le 1er janvier 1946.

Si les réformes de 1936 et de 1945 ont retiré aux intérêts privés toute part dans la gestion de l'Institut d'émission et renforcé le contrôle de l'État, elles n'ont pas pour autant diminué le rôle du gouverneur vis-à-vis des pouvoirs publics, ni réduit l'autonomie de gestion reconnue à la Banque.

En janvier 1973[1], intervient une nouvelle réforme des statuts dans laquelle nous trouvons en particulier cet Article 25 très court qui bloque toute possibilité d'avance au Trésor : « Le Trésor public ne peut être présentateur de ses propres effets à l'escompte de la Banque de France ». **La Banque de France abandonne donc son rôle de service public**.

1. Loi du 3 janvier 1973 – Président : Georges Pompidou – Ministre des Finances : Valery Giscard d'Estaing !

L'État reste heureusement le seul propriétaire des actions de la Banque de France (c'est encore le cas aujourd'hui) et à ce titre il bénéficie de l'intégralité des dividendes versés, après impôts sur les bénéfices, qui lui reviennent également.

En 1976, sans aucune justification économique, Raymond Barre (qui avait été nommé membre du Conseil général de la Banque de France le 30 janvier 1973 pour une durée de six ans) décide que l'État paiera les intérêts de sa dette au-delà du taux d'inflation. **Ce faisant, il place l'État au service des créanciers, des épargnants.**

En 1992, le Traité de Maastricht instituant l'Union économique et monétaire, prélude à la monnaie unique au sein de la communauté européenne : l'Euro.

La loi n° 93.980 du 4 août 1993[1] marque un tournant décisif dans l'histoire de la Banque, en lui donnant son « indépendance ».

Cette loi du 4 août 1993 sur le statut de la Banque de France entre en application le 1er janvier 1994. On peut remarquer qu'elle interdit à celle-ci, dans son article 3, d'autoriser des découverts ou d'accorder tout autre type de crédit au Trésor public ou à tout autre organisme ou entreprise publics, de même que l'acquisition de titres de leur dette.

Cette « obligation » s'explique par le fait que, dans le passé, les politiques ont parfois fait tourner « la planche à billets » dans des buts électoraux, mais ne se comprend pas si l'émission monétaire est encadrée et seulement autorisée au bénéfice de l'équipement de la Nation ; nous y reviendrons.

En 1998, la Banque de France est intégrée au SEBC (Système Européen de Banques Centrales).

---

1. Loi du 4 août 1993 Président : François Mitterrand – Premier ministre : Édouard Balladur.

L'indépendance totale des Banques centrales est une condition juridique inscrite dans le traité de Maastricht. La nouvelle loi modifiant le statut de la Banque de France (pour tenir compte de son intégration dans le Système Européen de Banques Centrales), est adoptée par les Assemblées parlementaires le 12 mai 1998[1].

D'autre part, le traité de Maastricht stipule : *« l'objectif principal du SEBC est de maintenir la stabilité des prix »*.

Les missions fondamentales relevant du SEBC consistent à :

- définir et mettre en œuvre la politique monétaire de la Communauté ;
- conduire les opérations de change ;
- détenir et gérer les réserves officielles de change des États membres ;
- promouvoir le bon fonctionnement des systèmes de paiement.

Le Premier ministre et le ministre chargé de l'Économie et des Finances participent aux séances du Conseil de la politique monétaire, **mais sans voix délibérative et l'interdiction est faite au gouverneur et aux membres du Conseil de solliciter ou d'accepter des instructions du gouvernement ou de toute autre personne (loi du 12 mai 1998 article 1er, alinéa 3)**.

La Banque de France est maintenant totalement « liée » par le Traité de Maastricht et son intégration au sein de la Banque Centrale Européenne dont nous rappelons ici l'un des articles léonins (article 104, paragraphe 1, qui deviendra éventuellement l'article 123 dans le traité de Lisbonne – s'il est approuvé par l'ensemble des États) : *« Il est interdit à la BCE et aux banques centrales des États membres, ci-après dénommées « banques cen-*

1. Loi du 12 mai 1998 – Président : Jacques Chirac – Premier ministre : Lionel Jospin.

trales nationales » d'accorder des découverts ou tout autre type de crédit aux institutions ou organes de la Communauté, aux administrations centrales, aux autorités régionales ou locales, aux autres autorités publiques, aux autres organismes ou entreprises publics des États membres ; l'acquisition directe, auprès d'eux, par la BCE, ou les banques centrales nationales, des instruments de leur dette est également interdite.[1] »

L'articulation juridique et comptable entre la SEBC, la BCE et les Banques Centrales Nationales est la suivante :

Le **Système européen des banques centrales** (**SEBC**) est composé de la Banque centrale européenne (BCE) et des 27 banques centrales nationales (BCN) des pays membres de l'Union européenne.

Ce SEBC détient et gère les ressources officielles, principalement en devises, des États membres de l'Union européenne.

Un sous-ensemble du SEBC est l'Euro Système qui regroupe les banques centrales de la zone euro.

Au 1er janvier 2007, les répartitions en pourcentage des parts des Banques Nationales dans la structure du SEBC sont les suivantes :

1. *sous-total pour les BCN de la zone euro : 69,5092 %*

   Allemagne : 20,5211 – France : 14,3875 – Italie : 12,5297 – Espagne : 7,5498 – Hollande : 3,8937 – Belgique : 2,4708 – Autriche : 2,0159 – Grèce : 1,8168 – Portugal : 1,7137 – Finlande : 1,2448 –

1. Certains s'appuient sur le second paragraphe de cet article 104 qui précise : « le paragraphe 1 ne s'applique pas aux établissements public de crédit qui, dans le cadre de la mise à disposition de liquidités par les banques centrales, bénéficient, de la part des banques centrales nationales et de la BCE, du même traitement que les établissements privés de crédit », pour soutenir l'idée que l'État, s'il le voulait, pourrait créer la monnaie de financement dont il a besoin par l'intermédiaire de ces établissements publics de crédit. C'est méconnaître le fait qu'entre un tel établissement et le Trésor Public, les échanges monétaires ne peuvent s'effectuer qu'en monnaie centrale. Dit autrement, un établissement public de crédit ne peut pas ouvrir un crédit à l'État.

Irlande : 0,8885 – Slovénie : 0,3194 – Luxembourg : 0,1575

2. *sous-total pour les BCN hors zone euro : 30,4908*

   La banque d'Angleterre y détient la plus grosse part avec 14,3822 %

Le capital souscrit de la BCE s'élève à 5,565 milliards d'euros et le montant libéré à 4,089 milliards. Les BCN de la zone euro ont entièrement libéré leur part dans le capital, qui s'élève à 3,978 milliards d'euros.

Chapitre 2.

La monnaie et les mécanismes de sa création

Nous voyons votre étonnement ! Pourquoi parler de la monnaie et des mécanismes de sa création alors que le sujet du livre porte sur la dette ? Que diriez-vous si un organisme privé parvenait à privatiser l'air que vous respirez et qu'il vous le fasse payer ? Vous crierez au scandale et seriez sans doute prêt à vous révolter. En revanche, si vous faites de la plongée sous-marine, vous trouverez naturel de payer l'air en bouteille. Voyez-vous la différence entre les deux ? Dans le premier cas, il y a appropriation illégitime d'une richesse collective et vente d'un service inexistant, alors que dans le second, il y a une réelle plus-value apportée, légitimant une rémunération. Il en est de même pour la dette. Dans certains cas, une dette peut représenter un service qui justifie une rémunération au prêteur et dans d'autres, la dette est doublement illégitime, et par son existence même, et par son prix qu'aucun service réel ne justifie.

Dans l'esprit de la plupart d'entre nous, une dette est ce que doit une personne lorsqu'elle a obtenu d'un prêteur une somme d'argent. Si le prêteur a prélevé cette somme sur son épargne, il est juste qu'il en reçoive rémunération puisqu'il n'aura pas la disponibilité de cet argent jusqu'à échéance du prêt, outre le risque de ne pas être remboursé. De plus il y a réel service, car l'emprunteur trouve, grâce à ce prêt, satisfaction à son besoin. Mais il est une autre dette, certes visible car ses montants deviennent abyssaux, certes dénoncée comme inacceptable, mais dont la cause profonde reste soigneusement cachée au public. Qu'elle devienne largement connue, et cela pourrait bien conduire à une révolution ! Cette dette-là tient à la nature même de l'argent, et c'est pourquoi nous allons nous attarder un temps sur ce secret bien gardé.

Qu'est-ce que la monnaie ?

Il est courant de définir la monnaie par ses fonctions : **instrument de mesure, instrument de réserve de valeur**[1] **et instrument de paiement**[2]. Cela nous renseigne sans doute sur son utilité, mais pas sur sa nature. Pour mieux comprendre ce qu'elle est, nous allons vous raconter une petite histoire que nous affectionnons particulièrement.

Nous nous trouvons dans la ravissante bourgade de Condé-sur-Gartampes. Face à la gare de chemin de fer, trône fièrement l'hôtel de France, lieu favori des villageois qui se retrouvent autour d'un café ou d'une bière pour échanger les potins du coin, ou refaire le monde...

1. La réserve de valeur est la capacité de pouvoir transférer du pouvoir d'achat dans le temps. Sa valeur est constante (un billet de 10 euros vaut toujours 10 euros), mais son pouvoir d'achat peut évidemment varier (inflation).

2. C'est la fonction qui caractérise le mieux la monnaie.

Ce matin-là, une dame fort jolie et élégante traverse la rue et entre dans l'hôtel. Les regards se tournent vers la réception, les discussions se font plus discrètes. Elle explique à l'hôtelier qu'elle est là pour la journée, mais qu'elle craint que ses affaires ne lui permettent pas d'attraper le dernier train. Aussi souhaite-t-elle réserver une chambre. N'ayant pas de bagage, elle tend un billet de 50 euros tout en s'excusant, confuse, pour la petite déchirure, là dans l'angle, qu'elle a raccommodée avec un bout de ruban adhésif. L'aubergiste sourit et s'apprête à mettre le billet dans sa caisse quand l'un des clients du bar, qui avait assisté à la scène, l'arrête dans son geste.

– Raymond ! rappelle-toi que tu me dois le gâteau de communion de ta fille, 50 euros justement, alors ce billet sera tout aussi bien dans ma poche que dans la tienne.

Raymond s'exécute de bonne grâce. Son café terminé, le boulanger repart vers son magasin, quand, passant devant la porte de son dentiste, il se rappelle qu'il lui doit sa dernière visite dentaire qui s'élève à 50 euros. Plus tard dans la journée, le dentiste, en chemin pour une course, passe devant le garagiste auquel il confie l'entretien de sa voiture et à qui il doit sa dernière vidange : 50 euros. Un représentant en savons liquides se trouvait alors dans l'atelier et le garagiste, qui lui devait 50 euros, s'acquitte de sa dette. Une fois son travail terminé, le représentant consulte sa montre. Il est trop tard pour aller plus loin, il passera la nuit à l'hôtel de France...

– Désolé ! s'excuse l'aubergiste quand le représentant lui demande une chambre. Mon établissement est complet !...

– Non !... Non... entend-on alors d'une voix féminine. C'est la dame du matin qui revient et annonce que ses affaires l'ont tenue moins longtemps qu'elle ne pensait. Elle a tout le temps d'attraper son dernier train. Tout le monde est content. Le représentant tend le billet de 50 euros à l'hôtelier, qui le rend à la dame. Elle reconnaît le billet qu'elle avait donné le matin même à la petite déchirure rafistolée, sourit, le déchire et, tournant les talons, lance en riant : « de toute façon il était faux ! ».

Pourtant, cette fausse monnaie a bien éteint les dettes en suspens. Tout le monde a été payé. Comment est-ce possible ?

Parce que les acteurs de cette petite scène ne savaient pas que le billet était faux ! L'auraient-ils su, croyez-vous qu'ils auraient accepté le billet ? Ceci pour souligner la nature de la monnaie. La monnaie est une **convention sociale reposant sur la confiance, elle n'a d'autre valeur que celle que nous lui accordons**. Et cette valeur s'ancre exclusivement dans le fait que nous croyons qu'elle sera acceptée en paiement sans difficulté par les autres.

La masse monétaire et ce qui la compose

Quand on parle de la monnaie, on visualise immédiatement les pièces et billets. Sans doute est-ce dû à la persistance dans notre mémoire collective des temps anciens où l'argent ne se présentait que sous cette forme, sauf exception pour le « grand commerce ». Aujourd'hui ils ne sont que l'un des supports monétaires en circulation, support très minoritaire dans la masse monétaire, c'est-à-dire la quantité globale d'argent détenue, et en circulation dans la société, quelle que soit la forme du support. Ainsi la masse monétaire est-elle détenue par les différents acteurs (personnes physiques, morales ou administratives) sous forme de monnaie fiduciaire (pièces et billets) et sous forme scripturale (monnaie d'écriture : dépôts à vue en comptes courants), et épargne convertible plus ou moins « liquide », sachant que la liquidité d'une épargne correspond à la rapidité avec laquelle on peut la convertir en monnaie disponible. Certaines formes d'épargnes sont très liquides, disponibles dans l'instant comme les livrets « A » de la caisse d'épargne, d'autres le sont moins. Cette épargne, une fois convertie, gonfle la masse monétaire en circulation. Il est évident que l'activité économique d'une nation n'est pas la même selon que la monnaie est conservée ou en circulation. C'est pourquoi la masse monétaire est considérée en distinguant des critères différents de liquidité. Elle est définie par trois « agrégats ». En simplifiant :

M1 = Monnaie fiduciaire (billets + pièces) **+ Dépôts à vue** (monnaie scripturale sous forme de dépôts à vue)

M2 = M1 + Autres dépôts négociables (dépôts à terme d'une durée inférieure ou égale à deux ans, et dépôts remboursables avec un préavis inférieur ou égal à trois mois)

M3 = M2 + Instruments négociables (pensions, et titres d'OPCVM[1] monétaires, et instruments du marché monétaire, et titres de créance d'une durée initiale inférieure ou égale à deux ans.)

Voici, pour vous donner une idée, la masse monétaire et son évolution dans la zone euro, c'est-à-dire dans l'ensemble des pays qui utilisent l'euro, depuis le 1er janvier 2001 jusqu'au 1er janvier 2007.

1. Organisme de Placement Collectif en Valeurs Mobilières.

Monnaie dans l'ensemble de la zone euro

Au 1er janvier	2001	2002	2003	2004	2005	2006	2007	Croissance en 6 ans
M1	2026	2279	2499	2727	2949	3480	3755	1670 (82 %)
M2	4229	4616	4915	5232	5570	6075	6630	2401 (57 %)
M3	4910	5446	5807	6178	6568	7116	7782	2872[1] (58 %)

Les encours zone euro à fin septembre 2007

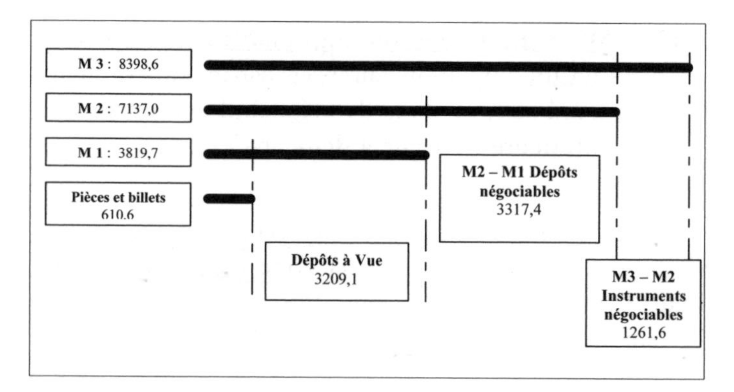

(en milliards d'euros)

1. L'inflation et l'augmentation du PIB auraient justifié, ensemble, une augmentation de l'ordre de 1500 milliards et non presque le double.

D'où vient cet argent ?

Attention ! Nous touchons là au point sensible qui est tellement gros qu'il se produit souvent dans l'esprit de la plupart d'entre nous comme un court-circuit qui provoque un refus de l'information, ou tout au moins une incompréhension. Pour aider celles et ceux qui sont peu familiers avec ce sujet, nous allons l'introduire en présentant le principe de « l'argent dette » sous forme d'une histoire analogique que nous développerons ensuite sous une forme plus « orthodoxe ».

Imaginez que votre paquebot a fait naufrage et vous voilà à 1500 ou 2000 personnes sur la plage d'une grande île qui semble a priori fort accueillante. Pour une raison qui n'a pas sa place ici, nous partirons du principe que vous êtes certains de n'être jamais retrouvés et que la vie pour vous recommence là avec les autres naufragés. Vous vous organisez pour faire l'inventaire du lieu. Les éclaireurs rapportent tous de bonnes nouvelles. Il y a de l'eau douce, des forêts, des pâturages, des animaux facilement domesticables, les eaux qui entourent cette terre sont poissonneuses. L'île est vaste et peut accueillir la colonie sans aucune difficulté. À ceci s'ajoute le fait que les compétences des uns et des autres sont riches et variées, et qu'il a été possible d'embarquer à la hâte des outils et des semences. La vie est possible, reste à s'organiser. Chacun est prêt à utiliser ses talents, mais comment faire pour échanger les productions ? Le troc bien sûr... mais l'idée est rapidement évacuée car il suppose une réciprocité immédiate dans l'échange peu compatible avec la variété des biens et services disponibles. Il faudrait de l'argent... Mais les cartes de crédit et de paiement de nos Robinsons ne sont ici d'aucune utilité. Les voilà dans une situation plutôt étrange. Tout est là pour vivre dans la suffisance et l'harmonie sur cette île, mais il n'y a pas d'argent. Qu'à cela ne tienne ! Il suffit de créer une monnaie qui aura cours sur l'île et que tous les colons auront obligation d'accepter en paiement. Mais quoi ? Va-t-on distribuer de l'argent à chacun, comme cela, comme au début d'une partie de « Monopoly » ? Non... car l'argent n'a aucune valeur en soi ; il n'est que la représentation symbolique de la vraie richesse, celle qu'offre la nature, valorisée par le travail de l'homme. La monnaie en circulation doit donc refléter le plus fidèlement possible la richesse créée. Il est alors convenu que l'argent ne sera émis qu'à la hauteur des besoins. Pour cela rien de plus simple, l'argent sera créé ex nihilo, autrement dit à partir de rien, chaque fois qu'une personne demandera un crédit.

Le pêcheur par exemple, doit, avant de pêcher ses premiers poissons, construire son bateau, ses casiers, ses filets, bref tout son matériel. Pour ce faire, il va utiliser les compétences d'autres colons. Il calcule la somme dont il a besoin pour les rémunérer, plus celle qu'il lui faut pour vivre, lui et sa famille jusqu'à ce qu'il puisse vendre le produit de sa pêche. Il emprunte cette somme auprès de l'organisme missionné pour émettre la monnaie de l'île. L'argent ainsi emprunté se retrouve rapidement dans la colonie par le biais des rémunérations versées et, chacun faisant pareil de son côté, une masse monétaire est constituée, suffisante pour permettre la production et échanges des richesses créées.

Tout le monde est content au début, mais un problème majeur apparaît rapidement. L'argent se raréfie dans la communauté au fur et à mesure que les colons remboursent leurs emprunts. Pour faire face aux échéances, il faut se serrer de plus en plus la ceinture et il devient évident qu'à terme il n'y aura plus un sou vaillant dans l'île. Pour palier à cela, il faut ré emprunter...

Quelle analogie avec notre réalité, vous demandez-vous ? Car dans notre monde nous ne nous trouvons pas dans la situation des naufragés. N'utilise-t-on pas une monnaie qui « existe » ?

Voilà la croyance la plus populaire, et savamment entretenue, qui maintient dans nos esprits l'idée que l'argent existe comme un gâteau dont la seule question est de savoir comment le répartir entre les convives. Oui, il est vrai que pendant des siècles, l'argent fut matériel et « existait » (ce que l'on appelle la monnaie permanente), mais l'évolution historique des choses a conduit à une dématérialisation de la monnaie qui est devenue TOTALE en 1971, lorsque le dollar américain, alors seule monnaie encore convertible en or sur cette planète, a abandonné sa convertibilité. Depuis, nous sommes comme les Robinsons de cette histoire, l'argent « n'existe » plus, sauf de le créer par le moyen du crédit, avec cette particularité qu'il devient « temporaire », puisqu'il n'existe dans la communauté qu'entre le moment où il est emprunté et celui où il est remboursé. Ainsi l'argent sur notre terre est-il devenu une DETTE, car pour qu'il y en ait, il faut au préalable l'emprunter. Est-ce un bien, est-ce un mal ? En fait c'est un grand progrès pour deux raisons :

- La première, parce que cela permet (en théorie au moins) d'émettre la monnaie à proportion de la richesse réelle produite, coïncidence impossible lorsque la monnaie était en métal précieux. On pouvait avoir beaucoup de métal mais peu à échanger, comme ce fut le cas, par exemple, lorsque les galions espagnols revinrent en Europe chargés de l'or des Amériques, de même que l'on pouvait avoir plus à échanger qu'il n'y avait de contrepartie métallique disponible, ce qui fut le cas la plupart du temps.
- La seconde, c'est que l'argent s'affranchit ainsi de la rareté (là aussi en théorie), liée à la rareté naturelle de l'or. Il devient potentiellement infini puisque rien ne bride son émission si ce ne sont nos propres règles du jeu[1].

1. Dans *Les 10 plus gros mensonges sur l'économie*, nous avons fait la démonstration qu'une injection par l'État de 10 milliards d'euros servant à financer des équipements collectifs, sous réserve de certaines conditions, non seulement créerait 262 336 emplois directs de montant salarial (toutes cotisations comprises) de 38 119 euros annuel, et que cette somme serait entièrement récupérée par l'État par le jeu de la fiscalité.

Mais la pensée économique dominante actuelle ne considère pas les choses comme cela :

Elle n'a ni compris ni intégré le fait que la production ne coûte pas d'argent, mais seulement du travail, de l'énergie, et de la matière.

Alors où réside le problème ?

Ce que ne précise par notre histoire de naufragés, c'est à qui est confié le privilège de la création monétaire sur l'île ; autrement dit, qui a le droit de consentir les crédits par simple inscription de la somme empruntée, et si les prêts sont, ou non, assortis d'un intérêt. En quoi cela est-il important ? Représentez-vous les choses :

Ou bien la colonie décide que l'argent est un bien collectif pour faciliter la production et les échanges de ce qui est nécessaire à la vie au quotidien ; elle confie dans ce cas la création monétaire et la gestion des crédits à une entité qui représente l'intérêt collectif. La nature même de cet organisme et la mission qui lui est confiée, autorisent la création de la monnaie de la colonie sans nécessité absolue que la dette ainsi générée lui soit remboursée... On peut imaginer par exemple que les investissements productifs ne soient pas remboursables pour éviter l'écueil qui est apparu rapidement dans notre histoire. Que les comptes de cette entité soient en négatif, qui cela empêcherait-il de dormir puisque qu'en fin de compte, dans ce cas de figure, la colonie ne fait que contracter une dette envers elle-même et que la monnaie ainsi mise en circulation est bénéfique au corps de la communauté, comme le sang est bénéfique au nôtre. De même un organisme de ce

---

Elle n'a ni compris ni intégré le fait qu'un État pourrait investir dans des biens et services nouveaux, sans avoir à lever des impôts supplémentaires, en s'autorisant seulement des décalages de trésorerie sans intérêts.

Elle n'a ni compris ni intégré le fait que lorsqu'un État investit dans des biens et services nouveaux, cela crée des emplois directs et induit une activité multiplicatrice.

La raison à cela repose sur la persistance d'un obstacle épistémologique : dans l'esprit de la plupart d'entre nous, et les plus brillants n'y échappent pas, la monnaie reste conçue comme une réalité matérielle (précieuse) de quantité finie donc rare et épuisable. L'époque où l'argent n'existait que sous forme de pièces sonnantes et trébuchantes reste profondément ancrée en nous. Il n'était alors pas possible « d'inventer » des pièces qui n'existaient pas. Mais l'argent moderne est dématérialisé. Ainsi, aujourd'hui, aucune loi physique n'empêche un État, une Banque centrale ou de second rang, de créer toute la monnaie nécessaire.

genre n'aurait aucun besoin de facturer un intérêt, car pour quelle raison nos Robinsons devraient-ils acheter leur propre monnaie tirée d'un chapeau... Quand bien même le feraient-ils, cet intérêt pourrait ensuite être redistribué à des fins d'intérêt commun.

Ou bien la colonie confie ce privilège à un banquier, entrepreneur privé au même titre que le charpentier, le pêcheur ou le boulanger et, dans ce cas, ce dernier ne peut se permettre ni des comptes en négatif, ni des prestations gratuites. Dans ce cas, non seulement la colonie doit en permanence réemprunter pour maintenir la quantité d'argent nécessaire aux échanges quotidiens, mais aussi emprunter toujours plus pour être en mesure de payer les intérêts qui ne sont jamais créés avec le capital emprunté.

Voyez-vous la subtilité ? Une subtilité dont les conséquences sont énormes puisque toute la question de la dette y trouve sa source. Eh bien, le croirez-vous, nous terriens, avons choisi soit par intérêt personnel, soit par ignorance, la deuxième formule...

Alors oui, le temps où il fallait chercher l'or dans les rivières ou le voler pour augmenter la masse monétaire est irrémédiablement révolu, et c'est tant mieux. Mais la désinformation du public permet la survivance d'archaïsmes de la pensée au sujet de l'argent qui conduit la plupart des gens à refuser de croire que presque toute la monnaie en circulation, 93 % de M3[1] (ou 84 % de M1 si on se limite à cet agrégat) a été créée *ex-nihilo* par les banques commerciales, sous forme de crédits aux ménages, aux entreprises et aux États.

Cette même désinformation entretient chez beaucoup l'idée que la monnaie serait émise par le gouvernement, par une banque nationale, ou issue d'une autre origine bizarre... Elle n'est pas non plus créée par les

1. À fin septembre 2007, les billets et pièces en circulation dans la zone euro représentaient 611 milliards d'euros, pour un total de M1 (billets et pièces + dépôts à vue) de 3820 milliards d'euros

M3, quant à lui, représentant 8398 milliards d'euros.

Banques centrales. Celles-ci ne sont que les chefs d'orchestre du système bancaire privé et, si elles portent le nom d'institut d'émission, c'est parce qu'elles ont le monopole de l'émission de la monnaie fiduciaire (pièces et billets) seulement. Ce sont les banques commerciales qui détiennent maintenant le pouvoir de créer, par le biais du crédit, la monnaie scripturale ou électronique qui, est-il vain de le répéter, représente la bagatelle de 93 % de la masse monétaire. Mais il est aussi une croyance populaire fortement enracinée, produit de cette même désinformation, celle qui affirme que les banques ne peuvent prêter que ce qu'elles détiennent en dépôt. Non, non et non, nous dénonçons avec force cette croyance, car c'est elle qui masque la réalité d'un mécanisme qui a pour conséquence d'enrichir quelques uns au détriment de la plupart, sans parler des dommages collatéraux, du genre saccage de la planète. **Ce sont les crédits qui permettent les dépôts**, **et non l'inverse**[1].

Oui, nous ne le dirons jamais assez, **ce sont bien les crédits qui font les dépôts : il faut bien qu'il y ait eu création préalable de monnaie pour que les bénéficiaires puissent payer leurs fournisseurs ou créanciers avec celle-ci, lesquels déposeront les versements reçus sur leurs comptes courants, à partir desquels ils pourront constituer une l'épargne, épargne qui pourra éventuellement être prêtée.** La monnaie est bien créée e*x nihilo* même si cette création a lieu « sous garanties ». C'est cela qui faisait dire à Maurice Allais, prix Nobel 1988 des Sciences économiques : « *Dans son essence la création de monnaie ex nihilo actuelle par le système bancaire est identique... à la création de monnaie par des faux monnayeurs. Concrètementn elle aboutit aux mêmes résultats. La seule différence est que ceux qui en profitent sont différents* ».

1. L'indication (électronique) d'un solde bancaire est bien une monnaie réelle.

Voyez-vous la dynamique ? L'utilisation d'un crédit par des bénéficiaires fait que tout ou partie de cette monnaie se retrouvera sur d'autres comptes dans d'autres banques. Le bénéficiaire d'un crédit va payer avec celui-ci ses différents fournisseurs ; il se transforme chez eux en dépôts qui eux-mêmes permettront de donner naissance à de nouveaux crédits, sans pour autant toucher aux dépôts. Le crédit est toujours à l'origine d'une multiplication de la création monétaire.

En résumé, la monnaie fiduciaire est émise par la banque centrale (qualifiée pour cela d'institut d'émission) : cette monnaie centrale est émise sous la forme de billets. Les banques commerciales, celles que vous connaissez bien, mais aussi toutes les banques d'affaires qui restent très discrètes, se sont vu accorder **le droit exclusif** d'émettre du crédit, de « faire crédit » et par la même occasion, nous allons voir comment, de créer de la monnaie sous forme d'avoirs matérialisés par une inscription dans les comptes bancaires dont les principaux instruments de circulation sont les chèques et les cartes bancaires. Ce privilège est accordé aux établissements qui ont reçu un agrément des autorités, ce qui ne les empêchent évidemment pas, en plus, de prêter les dépôts des épargnants qui leur confient leur épargne et de bénéficier de la différence des intérêts[1]. C'est un droit dont ne disposent pas d'autres établissements financiers qui n'ont pas le « label banque » et qui se contentent de collecter l'épargne et de la re-prêter en bénéficiant de la différence de taux.

Maintenant, regardons de plus près le processus de création monétaire et de croissance de la masse monétaire par les banques.

1. En définitive les banques « re-prêtent » également la monnaie qu'elles ont préalablement émise et qui, après transfert vers les épargnants à l'occasion de divers actes de commerce, rentre dans le circuit de monnaie disponible. Il ne faut donc pas confondre la création monétaire et l'acte de prêt.

La monnaie scripturale correspond aux dépôts à vue (DaV) inscrits au passif des banques et détenus par les agents non bancaires : ménages et entreprises. Le dépôt est la provision d'un compte, soit par une remise de billets, soit par un virement d'un autre compte, soit grâce à un crédit accordé par la banque. Le solde positif d'un compte bancaire est la représentation **d'une dette** que la banque a **envers le détenteur du compte**, puisqu'elle lui doit cette somme.

Supposons qu'une entreprise ou un particulier veuille emprunter 100 000 euros auprès d'une banque. Bien sûr, les « règles prudentielles » imposent au banquier de prendre ses précautions, car s'il émet, nous allons voir comment, de la monnaie qui va se retrouver dans le circuit économique ou financier, c'est-à-dire augmenter la masse monétaire, il faut que l'emprunteur respecte ses engagements, faute de quoi le bilan du banquier serait déséquilibré. Toute somme « créée » par le crédit doit être « détruite » à un moment ou un autre pour garantir, dans le temps, l'équilibre du bilan comptable. Le banquier va donc demander à l'emprunteur une hypothèque, un nantissement, une assurance, la caution d'une personne solvable, etc., tout ce qui lui permettra d'éviter qu'il ne puisse « effacer » la dette à cause d'un défaut de remboursement. Accessoirement, mais c'est le plus important de l'histoire, il va demander en plus des 100 000 euros, des intérêts qu'il ne va pas prêter lui-même (ça n'aurait pas de sens pour lui) et que l'emprunteur va devoir trouver par d'autres moyens : vente, épargne, salaires, etc., auprès d'autres détenteurs de monnaie.

Sur le plan comptable, **le mécanisme de la création monétaire se réalise par un accroissement simultané de l'actif et du passif de la banque** que l'on peut représenter ainsi :

Dans le premier rectangle, celui de la banque, à l'actif est le crédit de 100 000 euros et, au passif, son équivalent en « dépôt à vue » (c'est le compte courant de l'emprunteur).

Sur le compte de l'emprunteur dans les livres comptables de la banque, il y aura en actif « avoir à la banque » 100 000 euros, et en passif la dette de même montant.

Banque

Actif	Passif
(Crédit)	(Dépôts à vue)
+100000	+100000

Emprunteur

Actif	Passif
(Avoir à la banque)	(Dette)
+100000	+100000

Ainsi la comptabilité du banquier est-elle équilibrée : la monnaie créée est concrétisée par une inscription au compte (dépôts à vue) du client emprunteur qui figure au passif du bilan bancaire. La contrepartie correspond à la monétisation de l'acte de prêt qui représente la créance sur le client emprunteur, que l'on retrouve à l'actif de la banque. Le remboursement du crédit aboutira, de façon symétrique, à une destruction de monnaie en diminuant à la fois l'actif et le passif du bilan bancaire. **La masse monétaire, constituée essentiellement par la monnaie scripturale, s'accroît donc lorsque les flux de remboursement (« l'écoulement ») sont inférieurs aux flux des crédits nouveaux (le « remplissage »), et diminue à l'opposé.**

À l'instant où le crédit est inscrit au passif de la banque et crédité au nom de l'emprunteur, celui-ci peut s'en servir comme il l'entend : payer ses fournisseurs, émettre des chèques ou des virements, sortir des espèces que ce soit directement au guichet ou dans un distributeur de cartes de crédits (très mal nommées car il s'agit en réalité de cartes de paiement électroniques, même si les débits peuvent n'être effectifs qu'en fin de mois), ou encore investir en épargne rémunérée, ou en bourse, ou sur les marchés financiers. Le dépôt à vue diminuera d'autant, de la même manière que « l'avoir à la banque », par contre l'actif de la banque restera identique au passif de l'emprunteur.

Et le rôle de la Banque centrale dans tout cela ?

La plupart d'entre nous pensent que la Banque centrale est un organisme d'État qui détient le privilège de la création monétaire. Il n'en est rien. Comme nous l'avons dit, mise à part l'émission de la monnaie fiduciaire, la plus grosse partie de la masse monétaire est créée par les banques commerciales. Les Banques centrales dans le monde sont, soit privées, soit publiques, mais en général toutes indépendantes du pouvoir politique. La différence est que leurs profits sont reversés aux actionnaires dans le premier cas ou à l'État dans le second.

Leur utilité ?

Créer les conditions de confiance essentielles à tout système monétaire. Rappelons en effet que la monnaie n'a d'autre valeur que la confiance que nous lui accordons. La confiance qui, à l'origine, était fondée dans la nature même de la monnaie dont la valeur nominale correspondait à celle du métal qui la constituait, a été de nombreuses fois ébranlée à mesure que s'appauvrissaient les alliages des métaux constituants, créant une différence avec la valeur faciale, et à mesure que les monnaies se dématérialisaient. Les États, puis les Banques centrales devinrent une nécessité pour donner aux yeux du public une crédibilité dans la monnaie qu'elle ne pouvait plus assurer elle-même. Ainsi les banques centrales garantissent-elles la bonne fin des opérations bancaires.

Harmoniser les pratiques bancaires. Banque des banques, une banque centrale est appelée pour cette raison banque de « premier rang » par opposition aux banques commerciales dites de « second rang ». Elle joue le rôle de chef d'orchestre du système, en décidant des règles du jeu et en veillant à leur application.

Maîtriser, (autant que faire se peut) l'évolution de la masse monétaire. En effet, au vu de ce qui précède, on pourrait penser que le pouvoir de création monétaire d'une banque spécifique est illimité, si elle a de la « demande de crédit solvable ». On voit en effet tout l'avantage qu'elle a à créer de la monnaie par l'acceptation de crédits, car « vendre » de l'argent, c'est son fonds de commerce : plus elle prête, plus elle encaisse des intérêts et plus elle s'enrichit. Ne serait-elle pas tentée de se laisser emporter à des « débordements » à moins d'être freinée par certaines contraintes ? C'est le risque que les banques centrales vont tenter de juguler (même si l'actualité démontre de plus en plus leur impuissance ; mais ceci est une autre histoire...).

Quelles sont ces contraintes ?

La première, et la principale, est de pouvoir influencer le crédit par la fixation du « taux directeur », c'est-à-dire le taux d'intérêt applicable entre banques. Ce taux sert de référence et la pratique conduit ensuite les banques à proposer des taux d'intérêt à leur clientèle en fonction de cette référence. Plus le taux est élevé et plus le crédit devient cher. La demande s'amenuise, ce qui a pour effet de ralentir l'évolution de la masse monétaire. À l'inverse, plus les taux baissent et plus les conditions d'emprunt deviennent alléchantes.

La deuxième est de rendre le crédit d'autant plus coûteux que la banque en consent. Chaque banque commerciale (privée), dite de second rang, doit alimenter en « *monnaie centrale* » un compte courant dans les livres de la Banque centrale. C'est à partir de ce compte que chaque banque règle aux autres ce qu'elle leur doit[1],

1. Les banques détiennent des créances les unes sur les autres. Elles annulent un maximum de leurs dettes et créances réciproques (chèques émis par chacune d'elles, remis à ses concurrentes par ses clients) dans les opérations de « compensation » en procédant d'abord aux échanges bilatéraux (entre établissements pris deux à deux), puis à un arbitrage multilatéral. Les dettes non compensées sont honorées en monnaie banque centrale : la banque débitrice doit donc régler son solde auprès des autres banques grâce à la monnaie banque centrale qu'elle détient à son compte courant auprès de la Banque centrale.

ainsi qu'à la Banque centrale, l'intérêt de ses emprunts auprès d'elle, et surtout la fourniture de la monnaie fiduciaire dont elle a besoin. Chaque établissement bancaire doit donc détenir de *la monnaie centrale* sous forme de billets pour satisfaire la demande du public. (Selon les régions, les gens sont plus ou moins demandeurs d'argent liquide, ce que l'on appelle le *taux de préférence des agents économiques pour la détention de billets* : ce taux est variable suivant l'âge, le sexe, le lieu d'habitation, la catégorie socioprofessionnelle, etc.).

Dans un système à une seule banque, le pouvoir de création monétaire de la Banque pourrait sembler illimité car elle doit juste se procurer des billets de banque auprès de la Banque centrale. Mais le système bancaire est composé d'une multiplicité d'établissements, ce qui a pour conséquence que le pouvoir de création monétaire d'une banque spécifique n'est pas illimité, car les banques doivent répondre aux demandes de retrait de billets et assurer la conversion de monnaie scripturale en billets, suivant la demande de ses propres clients, mais également des clients des autres banques. Cette conversion a reçu un nom : ce sont les « fuites ». Précisons :

Une banque crée, par exemple, de la monnaie scripturale à hauteur de 1 000 euros à la suite d'un crédit accordé à un particulier et crédite donc le compte de celui-ci. Ce dernier décide ensuite de convertir ce nouvel avoir sur son compte, en billets pour un montant de 200 euros. La banque subit une « fuite » de 200 euros correspondant aux billets qu'elle doit se procurer, soit auprès de ses collègues banquiers, soit auprès de la Banque centrale. Dans les deux cas, c'est son compte à la Banque centrale qui est débité d'autant. Attention au terme de « refinancement » dont on entend régulièrement parler... Il laisse croire que les banques empruntent à la Banque centrale les sommes qu'elles-mêmes prêtent à leur clientèle. Tel n'est pas le cas. Une banque a recours au « refinancement chaque fois qu'elle manque de monnaie centrale sur son compte pour faire face à ses engagements envers ses collègues ou envers la Banque centrale. Parenthèse : les « refinancements » dont la presse a tellement parlé dans le dernier semestre 2007, concernent simplement des prêts (en général à court terme) que la Banque centrale a consentis aux banquiers commerciaux qui éprouvaient alors quelques difficultés à trouver cette monnaie centrale sur le marché monétaire, pour la raison qu'ils ne se faisaient plus confiance entre eux (« *ce cher ami n'aurait-il pas proposé trop de crédits à des sociétés devenant insolvables ?* »). Bien évidemment, la Banque centrale fait payer pour ce genre d'opération un intérêt aux banques commerciales et prend en plus des escomptes en garanties... tant que la banque commerciale peut offrir ces garanties, tout va bien ! fin de la parenthèse... Mais terminons notre exemple : à la suite de ces opérations, la création de monnaie scripturale inscrite au passif de la banque n'est plus que de 800 euros, mais la masse monétaire dans son ensemble (billets et dépôts à vue) a bien augmenté de 1 000 euros. Toutefois, la demande en monnaie fiduciaire, proportionnelle au volume des prêts accordés, a renchéri le coût de ces derniers.

La troisième est constituée d'un ensemble de règles prudentielles[1] dont la principale est d'obliger les banques commerciales à détenir sur leur compte en monnaie centrale, une réserve obligatoire, fixée actuellement dans la zone euro à 2 % des crédits en cours émis. Lorsqu'elle ne dispose pas d'assez de cette monnaie centrale, elle est tenue de se **refinancer,** autrement dit, comme nous l'avons précisé plus haut, de se procurer de la monnaie centrale en l'empruntant, soit auprès de ses collègues, soit auprès de la Banque centrale. C'est

1. Citons aussi la recommandation de respecter des ratios de solvabilité, tel le ratio Cooke qui fixe une limite à l'encours pondéré des prêts accordés par un établissement financier en fonction de ses capitaux propres. Il est moins élaboré que le ratio Mc Donough qui lui a succédé dans le cadre de la réforme dite des accords de Bâle II, car il ne prend que très grossièrement en compte le risque plus ou moins élevé des différents prêts accordés. Notons toutefois que, pour le moment, l'observation de ces ratios relève de la recommandation et non de la contrainte obligatoire.

aussi un moyen d'augmenter ses actifs. Cette mesure, bien évidemment, limite la capacité de prêts des banques puisque plus elles consentent de crédits, plus elles doivent augmenter leurs réserves.

À l'énoncé de ces mesures, vous comprendrez que la Banque centrale peut certes influencer les choses, mais les instruments qu'elle a à sa disposition apparaissent, au regard de l'actualité, de plus en plus dérisoires pour contrôler un marché devenu libre, mondialisé et opaque. En accordant un crédit, une banque fait un « pari » qu'elle juge en termes de risque[1] et de rentabilité. Ce n'est que dans un second temps que se posera pour elle, éventuellement, le problème du refinancement. Ainsi, la Banque Centrale est-elle mise devant le fait accompli. Elle peut juste rendre le refinancement plus cher mais ne peut refuser le refinancement sous peine de grave crise de liquidités des banques[2].

Le « principe » de la création monétaire selon les besoins est génial, car il nous garantit que jamais nous ne manquerons de monnaie tant qu'il y aura de la demande, contrairement à l'époque où la monnaie était gagée sur l'or ou l'argent, ce qui la limitait en quantité nécessairement. Mais, car il y a un « mais », ce système présente un inconvénient majeur : les emprunteurs doivent rembourser le capital emprunté, bien sûr, afin que les banques puissent solder l'opération sur leurs bilans, mais ils doivent aussi payer les intérêts qui, et il n'y a pas « globalement » d'autre solution sauf à appauvrir les épargnants, représente de la monnaie qui à son tour va devoir être créée suivant ce même « système ». Ainsi entre-t-on dans une spirale infernale car la monnaie des intérêts devient elle-même productive d'intérêts, et ainsi de suite, sans fin... Comprenez-bien ceci : si « nous » voulions rembourser toutes nos dettes, nous ne le

1. Pari peu risqué car une création de monnaie par le crédit est assortie de nombreuses garanties : caution, hypothèque, nantissement, assurance...

2. Nous avons eu un exemple récent avec la crise de liquidités ayant touché la banque « Northern Rock » en septembre 2007.

pourrions pas tant que le système bancaire n'a pas créé la monnaie correspondant aux intérêts... La spirale de l'endettement est infinie et le système ne tient que tant qu'il y a une demande de nouveaux crédits supérieure au remboursement des crédits arrivant à échéance.

Notez que nous ne sommes pas opposés « par principe » à l'intérêt. Celui-ci nous semble tout à fait justifié lorsqu'il correspond à une épargne préalable[1]. C'est sur le principe de l'intérêt issu de la création monétaire *ex nihilo* que nous nous battons, car il entraîne le monde entier dans une voie sans issue à terme, ce que vous pourrez apprécier plus loin dans ce livre en considérant l'évolution de la dette. Mais d'ores et déjà, sachez que plusieurs économistes ont tenté de déterminer la part des intérêts cumulés dans le prix de tout ce que nous achetons... même si les estimations sont imprécises, car elle dépendent des taux auxquels les entreprises ont emprunté et du volume de l'investissement nécessaire à telle ou telle production, elles s'établissent entre 25 % et 40 %.

Doutez-vous encore que la monnaie soit créée par les banques *ex nihilo* comme nous l'avons décrit ? Avez-vous encore du mal à imaginer que les banques ne se contentent pas de prêter de l'épargne préalable ? Alors, pour conclure sur ce sujet, nous cédons la parole à quelques spécialistes qui donneront à nos propos la crédibilité que vous peinez encore peut-être à leur accorder.

De la Banque de France elle-même – 1971 – « la Monnaie et la Politique monétaire »

« *Les particuliers – même paraît-il certains banquiers – ont du mal à comprendre que les banques aient le pouvoir de créer de la monnaie ! Pour eux, une banque est un endroit où ils déposent de l'argent en compte et c'est ce dépôt qui permettrait à*

1. Une épargne, qui est une privation de l'utilisation de son argent pour celui qui la constitue, justifie que celui qui en bénéficie paye un « loyer ».

la banque de consentir un crédit à un autre client. Les dépôts permettraient les crédits. Or, cette vue n'est pas conforme à la réalité, car ce sont les crédits qui font les dépôts. »

De la Banque de France encore[1] : *« L'octroi de crédit par les banques étant à la source même du mécanisme de création monétaire, le suivi de l'évolution de la distribution des différents types de concours bancaires revêt naturellement une grande importance dans la définition des orientations et la conduite de la politique monétaire comme dans l'évaluation de ses effets ».*

De Dominique Plihon, *La monnaie et ses mécanismes* (éd. La Découverte 2000). Dominique Plihon est professeur d'économie à l'université Paris Nord où il dirige le DESS « Banque, finance, gestion des risques » après avoir occupé la fonction d'économiste à la Banque de France et au Commissariat général du Plan.

P4 : « *La monnaie est d'abord créée par les banques, à l'occasion de leurs opérations de crédit, en réponse aux besoins de financement des agents déficitaires, les entreprises en particulier. Ces dernières utilisent cette monnaie pour payer les salaires. Les salariés ne dépensent pas immédiatement leurs encaisses monétaires, car la monnaie permet de différer l'utilisation des ressources d'une période à l'autre...* »

P6 : « *Actuellement la monnaie est essentiellement scripturale, c'est-à-dire constituée d'avoirs matérialisés par une inscription sur des comptes bancaires ou postaux (...) Les banques ont le monopole de la création de monnaie scripturale tandis que la monnaie fiduciaire est émise par la Banque centrale. Cette « monnaie centrale » représente près de 10 % du total des encaisses des agents non financiers (entreprises, ménages, administrations), principalement sous la forme de billets...* »

---

1. 15 février 2006 - http ://www.banquefrance.fr/fr/stat_conjoncture/telechar/stat_mone/edcb_presentation1.pdf

P13 : « *Le développement de la monnaie scripturale dont la part dans les moyens de payement (M1) est passée de 58 % à 87 % de 1960 à 1998, s'explique également par des qualités de commodités (...) La monnaie scripturale figure au passif du bilan des établissements habilités à gérer celle-ci.* »

P19 : « *La monnaie créée se concrétise par une inscription au compte du client emprunteur qui figure au passif du bilan bancaire ; la contrepartie est inscrite à l'actif à un poste créance sur le client. Le remboursement du crédit aboutira, de façon symétrique, à une destruction de monnaie en diminuant à la fois l'actif et le passif du bilan bancaire. La masse monétaire, constituée essentiellement par la monnaie scripturale, s'accroît lorsque les flux de remboursements sont inférieurs aux flux de crédits nouveaux (...)*

Les banques commerciales collectent également de l'épargne ; la part des crédits financés sur épargne ne participe pas, par définition, à la création de monnaie. »

P20 : « *L'émission de billets est le monopole de la Banque centrale, souvent qualifiée pour cette raison « d'institut d'émission », les banques, de leur côté, ont le monopole de la création de monnaie scripturale...* »

P 42 : *« La création monétaire est le privilège des banques : celles-ci créent de la monnaie en « monétisant » leurs créances et en émettant des dettes qui ont la particularité d'être acceptées comme moyens de payement. La plupart du temps, les créances bancaires correspondent à des crédits : il s'agit de monnaie de crédit, créée ex-nihilo par les banques à l'occasion de leurs prêts. »*

P43 : « *Le système bancaire (banques commerciales et Banque centrale) entretient des relations financières multiples avec l'État. Ainsi les banques sont amenées à financer le déficit du budget de l'État, essentiellement en achetant une part importante des titres (bons du Trésor) (...) Ce financement du déficit budgétaire par les banques entraîne de la création monétaire : il y a « monétisation » de la dette publique.* »

De Denis Clerc, ancien professeur à l'université de Dijon, journaliste et fondateur de la revue *Alternative économiques*. Dans *Déchiffrer l'économie*, chapitre 4 « La monnaie et le crédit », p.163 : « *Les banques créent de la monnaie très simplement. Lorsque le titulaire d'un compte obtient un prêt à court terme (moins d'un an), par exemple une avance sur salaire : dans ce cas, la banque inscrit au crédit du bénéficiaire la somme demandée (d'où le terme de crédit). Elle a créé de la monnaie scripturale à partir de rien. Une inscription sur un compte lui a suffi.* »

De Maurice Allais, Prix Nobel de Sciences économiques, dans *La réforme monétaire,* 1976 : *« Le jugement éthique porté sur le mécanisme du crédit bancaire s'est profondément modifié au cours des siècles. (...) À l'origine, le principe du crédit reposait sur une couverture intégrale des dépôts. (...) Ce n'est que vers le XVII*[e] *siècle, avec l'apparition des billets de banque, que les banques abandonnèrent progressivement ce principe. Mais ce fut dans le plus grand secret et à l'insu du public » (...) « En abandonnant au secteur bancaire le droit de créer de la monnaie, l'État s'est privé en moyenne d'un pouvoir d'achat annuel représentant environ 5,2 % du revenu national. »*

Toujours de Maurice Allais, *La crise monétaire d'aujourd'hui. Pour de profondes réformes des institutions financières et monétaires*, Éd. Clément Juglar, 1999, p.63 : « *Fondamentalement, le mécanisme du crédit aboutit à une création de moyens de paiements ex nihilo, car le détenteur d'un dépôt auprès d'une banque le considère comme une encaisse disponible, alors que, dans le même temps, la banque a prêté la plus grande partie de ce dépôt, qui, redéposée ou non dans une banque, est considérée comme une encaisse disponible par son récipiendaire. À chaque opération de crédit, il y a ainsi duplication monétaire. Au total, le mécanisme de crédit aboutit à une création de monnaie ex nihilo par de simples jeux d'écritures.* »

De Bernard Maris, professeur d'université en France et aux États-Unis, *Anti-manuel d'économie*, éd. Bréal, 2003, p. 219 : *« Création et destruction monétaire (...) C'est le principe fondamental de la création monétaire : si je fais un crédit papier de 100 et si je sais qu'une grande partie de ce crédit reviendra chez moi banquier, je peux multiplier le crédit bien au-delà du stock d'or dont je dispose. (...) Le mécanisme est décrit dans l'adage : « les prêts font les dépôts ». Le crédit fait les dépôts, il fait l'argent. Et non l'inverse ! Avis à ceux qui croient que l'épargne fait l'argent. Quel contresens économique !*

(...) Mais la vraie garantie de la création monétaire, c'est l'anticipation de l'activité économique, du cycle production/consommation. Encore faut-il que cette anticipation soit saine : toute création monétaire saine débouche sur une destruction monétaire équivalente.

(...) Nous percevons mieux la nature de la monnaie : des dettes (des créances sur la banque émettrice) qui circulent. Des dettes qui, si elles sont saines, doivent, par l'activité économique, provoquer leur remboursement.

Aujourd'hui, la monnaie est détachée de tout support matériel, on peut en créer à l'infini. »

Chapitre 3.

« La dette » Des vérités qui ne seraient pas bonnes à dire[1] ?

En 2002 (France 2 – 23 mai), alors Premier ministre, M. Raffarin déclare : « *Moi, j'ai des idées simples. C'est de la bonne gestion de père de famille, c'est cela qu'il faut faire. Je suis tout à fait favorable à ce que nous puissions, très rapidement, réduire les déficits* », et le 21 septembre 2007, c'est un autre Premier ministre, François Fillon, qui nous annonce sans rire : « *Je suis à la tête d'un État qui est en situation de faillite sur le plan financier* ».

L'idée que l'on veut faire entrer dans les têtes est que l'État vivrait au-dessus de ses moyens, que la dette résulterait d'une augmentation excessive des dépenses publiques injustifiées, que l'on ne peut pas dépenser plus qu'on ne gagne et qu'ainsi on pénalise l'avenir des générations futures qui devront payer ce que nous avons acheté à crédit ! Le discours est pédagogique, compréhensible par tous et en apparence inattaquable.

---

1. Ce chapitre s'inspire, tout en l'actualisant, du chapitre 4 intitulé « L'État doit être géré en bon père de famille, la dette appauvrit la Nation, il faut la rembourser ! » du livre *Les 10 plus gros mensonges sur l'économie* des mêmes auteurs (2007 – éd. Dangles).

Comment le citoyen « normal » ne pourrait-il pas être sensible à un discours qui semble relever du plus élémentaire bon sens ?

Une comparaison démagogique

L'analogie entre un père de famille et l'État ne tient pas debout. Un père, une famille ou une entreprise sont des « personnes » physiques ou morales qui composent la société, elles ne sont pas LA Société. C'est confondre le particulier et le collectif :

- **Un État a un privilège que le particulier n'a pas** : celui de fixer lui-même le montant de ses recettes. Si l'État emprunte, c'est par choix. Regardez le budget prévisionnel de la France pour 2006, par exemple : il anticipe des dépenses pour un montant de 329,5 milliards d'euros, des recettes pour 282,6 milliards et donc un déficit de près de 47 milliards d'euros.

1. il y a choix d'avoir des dépenses supérieures aux recettes, dans le souci de répondre au mieux aux besoins de la nation ;
2. il y a choix de financer le déficit en ayant recours à l'emprunt, au lieu de la fiscalité.

- **Un État n'a pas vocation à « faire du profit » comme une entreprise**. Il a vocation de « régulation ». Si l'entreprise cherche en premier à satisfaire son intérêt propre, puisqu'elle est soumise à une obligation de résultat financier positif, l'État, lui, a pour mission de veiller à l'intérêt commun en édictant des règles du jeu qui garantissent et maintiennent le lien social. Maintenir ce lien est essentiel à la paix et à la prospérité du pays, c'est là son « profit » et accepter le déficit pour le maintenir peut en être le prix. La dette n'a donc pas le même sens pour un particulier et pour l'État.

- **Un pays est « immortel »**, ce qui n'est pas le cas de ses habitants et de ses entreprises. Ce « détail » change bien les choses, car le débiteur ne disparaîtra pas. Oh, bien sûr, ce n'est pas tout à fait exact, des pays ont fait faillite, c'est vrai. Mais franchement, nous en sommes encore loin : la dette de la France reste cotée « triple A » par les agences de notation, on ne peut faire mieux, et les offres d'OAT s'arrachent sur les marchés financiers ou auprès des assureurs.

Un État en faillite, un leg inacceptable pour nos enfants ?

Près de 1150 milliards d'euros de dettes fin 2006 ! Cela donne le vertige... Une dette d'une telle ampleur, déversée comme cela au milieu du salon des Français, présentée comme s'il s'agissait d'un puits sans fonds dans lequel on engloutirait l'argent public en pure perte, peut facilement laisser penser que notre pays est au bord de la faillite.

• **Pourtant le bilan est positif.** Mais on ne nous alerte que sur ce que l'on « doit ». Rien n'est dit sur ce que l'on « a ». Or, quand on contracte une dette, n'est-ce pas pour avoir quelque chose en contrepartie ? Vous pouvez devoir à votre banque 200 000 euros, mais vous avez peut-être acheté une maison avec.

Il est à noter à ce propos que la technique comptable utilisée pour les comptes de l'État est tout à fait impropre à traduire la réalité : une comptabilité simple, telle que celle d'un ménage avec une colonne recettes et une colonne dépenses, n'est absolument pas adéquate pour présenter les comptes de prévision (budget) ! On oublie par exemple de parler des capitaux et des amortissements, de la part du fonctionnement et de la part des investissements. C'est au moins une comptabilité d'entreprise qu'il faudrait pour avoir une vue saine des finances d'un pays. Nous verrions ainsi apparaître dans la même comptabilité « en partie double » :

- les comptes de bilan qui correspondent à ce que l'État possède (les bâtiments, les machines, les comptes, les liquidités, les avoirs divers) et ce qu'il doit (les capitaux propres, les dettes envers les fournisseurs, les organismes sociaux, les salariés, etc.),

- les comptes de résultat annuels qui correspondent à l'activité de l'État pour produire les richesses collectives.

Si les choses étaient présentées ainsi, il apparaîtrait que le solde entre les actifs et les dettes des administrations publiques **est positif de 676 milliards d'euros** (décembre 2006), c'est-à-dire plus de 11 000 euros par Français : c'est donc ce qui resterait si les administrations remboursaient toutes leurs dettes en vendant leurs actifs. Et encore, on n'inclut pas, dans cette richesse, les valeurs immatérielles : combien « vaut » la Côte d'Azur, le mont Saint-Michel, la tour Eiffel, etc. ?

• **Pourtant, comparé à d'autres, qui ne se déclarent pas en faillite, notre pays n'est pas à la plus mauvaise place** : à la fin de l'année 2006, la France était endettée à hauteur de 66 % de son PIB. Or la dette moyenne de la zone euro à la même époque était égale à 72 % du PIB, dont celle de l'Italie à 107 %, de la Belgique à 90 %, de l'Allemagne à 68 %. Quant à celle des États-Unis, elle se montait à 65 % et celle du Japon à 177 %[1] ! L'Europe, les États-Unis et le Japon sont-ils considérés comme des entités économiques en faillite ?

• **Pourtant ces propos alarmistes ne trouvent aucun écho dans les agences de notation** où la dette française, rappelons-le, est coté « triple A ». Cette dette, si décriée par notre Premier ministre, attire les convoitises des Français eux-mêmes qui en détiennent 40 % (les assureurs pour 300 milliards d'euros, les établissements de crédit pour 80, de même que les détenteurs d'OPCVM), et celles des étrangers qui détiennent les 60 % restants, trop heureux de la garantie que représente à leur yeux la signature de la France.

---

1. https ://www.cia.gov/library/publications/the-world-factbook/rankorder/2186rank.html

• **Pourtant l'héritage de nos enfants ferait pâlir d'envie plus d'un**... Le rapport de l'Observatoire français des conjonctures économiques – OFCE –, nous dit ceci : « *En terme de dette nette, i.e. la dette brute moins les actifs financiers détenus par les administrations, la France est à 44 % du PIB, nettement en dessous de la zone euro (58 %), un peu en dessous de l'ensemble de l'OCDE (48 %) et des États-Unis (47 %). Il n'y a donc pas de singularité française. La hausse de longue période se retrouve dans la quasi-totalité des pays de l'OCDE, bien qu'un peu plus accentuée dans le cas de la France, qui part de plus bas. Les administrations publiques possèdent aussi des actifs physiques (des infrastructures). Globalement, la richesse nette des administrations publiques représentait 20 % du PIB en 2003. Certes le nouveau-né français hérite d'une dette publique, mais il hérite aussi d'actifs publics : routes, écoles, maternités, équipements sportifs (...) Si l'on considère l'ensemble des agents, publics et privés, la richesse nationale se compose du stock de capital physique et des avoirs nets accumulés sur l'étranger. Les actifs physiques représentaient quatre fois le PIB de la France en 1993, 5,2 fois en 2003 ; les avoirs nets de la France sur l'étranger sont faiblement positifs, de l'ordre de 9 % du PIB en 2005. Le nouveau-né français est donc riche en moyenne, à sa naissance, de 166 000 euros.*[1] »

Alors, bien sûr, une dette de 18 500 euros pèse sur les frêles épaules de chaque nouveau-né si la population reste égale, mais ces bébés reposent dans un lit douillet d'une valeur dix fois supérieure, car ce que notre ministre (et tant d'autres) oublient de mentionner, c'est la valeur du patrimoine. Quel dessein poursuit donc notre gouvernement pour oser présenter les choses d'une façon aussi outrageusement fausse ? Utiliserait-il la technique de la « muleta » ?... Vous savez... cette cape rouge que le matador utilise pour attirer l'attention du taureau où il veut...

---

1. Précisément à fin 2006 : somme des patrimoines publics et privés – 11 748 milliards d'euros, divisée par 62 millions d'habitants, font donc un patrimoine de près de 190 000 euros par habitant. http ://www.insee.fr/fr/indicateur/cnat_annu/base_2000/tableaux/xls/t_4507.xls

• **Chercherait-on à détourner notre regard du processus qui consiste à transférer les ressources de la masse des contribuables vers la minorité possédante** ? Car ce qui est immodéré dans la dette, c'est moins son montant (lequel a permis la création de richesses) que la part des intérêts dans ce montant (nous y reviendrons). En réalité, le transfert, qu'il soit celui d'aujourd'hui ou celui de demain, ne se fait pas d'une génération aux suivantes, mais entre couches sociales : ce sont les contribuables d'aujourd'hui qui paient les rentes versées aujourd'hui à ceux qui en bénéficient ; ce sont les contribuables de demain qui verseront ce qui sera dû, demain, aux héritiers des détenteurs de la dette. Ces derniers, selon les choix politiques, seront plus ou moins imposés et restitueront donc plus ou moins à la collectivité par leur participation fiscale. Le risque est donc que des travailleurs pauvres de la génération suivante soient obligés de payer ces intérêts (par leurs impôts indirects, par exemple) aux détenteurs déjà riches peu imposés sur leurs revenus du capital.

• **Cherche-t-on à nous faire oublier que la dette est le résultat d'une volonté politique délibérée, décidée et réaffirmée depuis plusieurs décennies** ? Si l'on se reporte au début des années 70, notre pays, comme d'autres alors, disposait de deux options pour éviter de s'engager dans l'impasse où nous nous retrouvons aujourd'hui :

- Décider de se limiter aux recettes fiscales pour mener à bien les missions de l'État. Pour des raisons sans doute électoralistes, tous les gouvernements, de droite comme de gauche, ont fait des cadeaux fiscaux, de sorte que la dette actuelle, contrairement à ce qui nous est régulièrement dit, n'est pas le résultat d'une augmentation de la part des dépenses dans le PIB, mais de la diminution des recettes.
- On peut toutefois comprendre que la fiscalité soit un outil des plus délicats à manier politiquement et qu'il est plus populaire de réduire l'impôt que de l'augmenter. Mais nous avions alors un autre outil qui

offrait à l'État une grande capacité à jouer son rôle pleinement, celui de pouvoir se financer auprès de la Banque de France grâce à des avances faites au Trésor Public sans intérêt et sans échéance ! Mais la réforme des statuts de la Banque de France en 1973, par son article 25, interdit dorénavant cette possibilité[1]. **Délibérément, l'État a transféré sur le système bancaire privé, son droit régalien de création monétaire. Sans que cela ait donné lieu au moindre débat public, nous avons « privatisé » l'argent, de sorte que nous, peuple soit-disant souverain, devons maintenant acheter notre propre monnaie auprès des banques...**

Résultat 1 : la dette de la France est passée de 1980 à 2006 de 229 milliards d'euros (courants) à 1142 milliards...

Résultat 2 : L'intérêt de cette dette absorbe, tous les ans, la quasi totalité de l'impôt sur le revenu !

Et Monsieur Fillon crie au scandale ? Oui, c'en est un, mais nous ne le voyons pas de la même manière.

---

1. C'est comme par hasard au moment où le courant monétariste commence à s'imposer aux esprits des « élites » politico-économiques que les États abandonnent sciemment leur privilège régalien de création monétaire en veillant bien à ne pas ébruiter la chose sur la place publique.

Si ce privilège est maintenant légalement abandonné au système bancaire, il n'en reste pas moins illégitime, car une personne privée (la banque) ne saurait se rendre propriétaire de la monnaie, bien collectif traduisant la richesse créée par le travail des peuples.

L'abandon du droit de création monétaire aux banques « privatise » l'argent. En tant qu'entreprises privées, les banques travaillent d'abord et avant tout pour servir les intérêts de leurs actionnaires et non ceux de la collectivité.

Alors que l'État pourrait (et devrait pouvoir) émettre sa monnaie gratuitement, il doit « l'emprunter » sur les marchés financiers au prix de l'intérêt. Cela se traduit par le fait qu'il n'y a jamais assez d'argent dans la communauté pour rembourser et le capital et l'intérêt. Pour faire face aux engagements pris à l'égard du système bancaire, il ne reste plus qu'à emprunter à nouveau. Le monde est ainsi pris dans une spirale infernale où il faut créer toujours plus d'argent et où la part d'argent créé servant l'économie réelle diminue par rapport à la part de l'intérêt. Si l'argent était gratuit, la totalité émise servirait les intérêts de la collectivité. Maintenant qu'il est « payant », une part non négligeable de la richesse nationale est utilisée au seul paiement de l'intérêt. Dans la pratique, cela revient à détourner l'argent public de sa destination légitime : au lieu de servir le bien public, il sert de plus en plus quelques intérêts particuliers.

En résumé, à en croire le rapport Pébereau et le discours ambiant de la classe politique européenne en général, « La Dette » est devenue l'ennemi public à abattre. On peut se demander comment « l'élite européenne », censée être mieux informée que quiconque peut s'étonner de la dette dès lors qu'elle l'a choisie, comme nous venons de le rappeler, et dès lors que la nature même de l'argent moderne, créé *ex nihilo* par le biais du crédit, implique une dette équivalente à la masse monétaire. Combien de fois faudra-t-il le rappeler ? Aujourd'hui, « argent » = « dette ». Il ne peut pas y en avoir sans dette équivalente. Que le citoyen ne le sache pas, c'est normal dans la mesure où on ne le lui dit pas, mais que les dirigeants de l'Europe l'ignorent ou fassent semblant de l'ignorer, laisse planer un doute bien préoccupant, soit sur leurs compétences, soit sur leur honnêteté.

Alors, cette élite européenne (et il semble qu'il y ait consensus sur ce point, qu'on se situe à droite ou à gauche) nous dit : « il faut réduire la dette », selon le vieil adage « qui paie ses dettes s'enrichit » ! Mais :

- C'est oublier que tant que la dette n'est pas remboursée, l'argent emprunté circule dans la communauté et participe à la croissance[1].

- C'est oublier que la dette correspond à des sommes (malheureusement pas à équivalence de celles qui ont été empruntées, en raison de l'intérêt) qui ont participé à la richesse nationale. La fiscalité et la dette se transforment en dépenses collectives telles qu'écoles, hôpitaux, routes, services de santé, instruction publique, défense nationale, services de protection sociale, etc. Comme nous le soulignions plus haut, il est étonnant de constater que l'on ne nous parle jamais de

---

1. Dans l'analyse de Jérôme Creel et Henri Sterdiniak, « Faut-il réduire la dette publique », publiée dans la lettre de l'OFCE N°271 du 13 janvier 2006, nous lisons : « Le rapport (Pébereau) estime qu'il faudrait diminuer les dépenses publiques pour réduire les déficits et la dette, tout en reconnaissant, page 111, que cela nuirait à la croissance »...

l'actif que représente cette dette. Or, par exemple : le déficit public de notre pays était en 2006 de 45,3 milliards d'euros. Mais cette même année, les créations de richesses (dépenses d'investissement)[1] – écoles, hôpitaux, infrastructures de transport et de communication, acquisition de terrains, etc. – se montaient à 60,1 milliards d'euros ! Ces investissements sont bien des richesses réelles dont nous profitons maintenant, et dont nos descendants profiteront eux aussi. De même, si nous regardons les choses sur une période plus longue, vous remarquerez dans le tableau qui suit que, globalement, le montant des investissements est à peu de choses près équivalent au total des déficits.

	Déficits budgétaires	Formation Brute de Capital Fixe
	en milliards d'euros	
1994	62,9	39,4
1995	65,2	38,0
1996	49,5	38,8
1997	42,0	36,8
1998	34,5	37,4
1999	24,1	40,1
2001	23,2	45,1
2002	48,7	45,3
2003	65,4	49,0
2004	59,6	51,6
2005	50,6	56,9
2006	45,3	60,1

1. On parle de « Formation Brute de Capital Fixe » (FBCF) http :// www.insee.fr/fr/indicateur/cnat_annu/base_2000/tableauxcomptes_patrimoine.htm (4.520 Variations de patrimoine des administrations publiques (S13))

Non, M. Fillon, la France est loin d'être en « situation de faillite » et la question de la dette, telle qu'elle nous est présentée officiellement, relève de la pure désinformation ou de la volonté d'utiliser la dette comme électrochoc afin de mieux préparer les esprits à des desseins non exprimés, parce que difficilement avouables ?... Nous verrons cela plus loin.

Chapitre 4.

L'arnaque de la dette publique

Nous payons, bon an mal an, 40 milliards d'euros par an pour les seuls intérêts, ce qu'on appelle élégamment « le service de la dette ». C'est l'équivalent de 240 Airbus A350, ou de 3 porte-avions « Charles de Gaulle », ou de 40 000 belles villas sur la Côte d'Azur, ou de l'isolation (en comptant 10 000 euros par foyer) de 4 270 000 logements, ou un salaire net de 18 000 euros annuel (salaire médian en France) à 2 380 000 personnes, ou plus de 600 euros par Français ou ce qui manque pour financer le système par répartition à l'horizon 2020... mais vous pouvez trouver d'autres exemples, il n'en manque pas !

Le service de la dette de l'État est le deuxième poste budgétaire de notre Nation, après celui de l'Éducation nationale et avant celui de la Défense.

C'est prélever sur notre travail et notre production plus de 100 millions d'euros par jour, oui, par jour, et le transférer à ceux qui sont déjà les plus riches, qui d'ailleurs peuvent ainsi nous les represter à nouveau contre intérêt... Mais cette monnaie qu'ils nous prêtent, elle est, comme 93 % de la monnaie en circulation, issue de la création monétaire par les banques privées, monnaie évidemment payante bien que créée *ex nihilo*, à partir d'une simple ligne d'écriture.

Le recours à l'emprunt par l'État, qui pouvait se concevoir lorsque la monnaie était représentative d'une certaine quantité de métal (or ou argent qui, par leur rareté naturelle, pouvait manquer dans les caisses), n'a maintenant plus aucune justification depuis que la monnaie est totalement dématérialisée. Il reste seulement important qu'elle ait, comme toute monnaie, une contrepartie comptable en « biens réels » ou en créances recouvrables, c'est-à-dire en actifs.

Depuis les années 1973[1] la France, nous l'avons déjà souligné, s'est interdit de permettre à sa Banque centrale, la Banque de France, de financer le Trésor Public, c'est-à-dire de créer la monnaie dont elle a besoin pour son développement (écoles, routes, ponts, aéroports, ports, hôpitaux, bibliothèques, etc.). Ce montant est annuellement proche de son « déficit ». De ce fait, alors qu'avant notre pays avait le choix, il s'est obligé d'emprunter sur les marchés monétaires en émettant des « obligations » auprès des plus riches, des rentiers, et des investisseurs institutionnels (assurances, banques, etc.). Depuis, l'État, c'est-à-dire nous tous, doit payer un intérêt à ceux qui achètent les instruments de cette dette (40 % du montant par des résidents, 60 % par des non-résidents). Au fil des années, cet argent distribué aux plus riches plombe les finances publiques et nous voilà entraînés dans une spirale infernale : recourir sans cesse à de nouveaux emprunts pour couvrir le déficit qui, comme par hasard, est toujours proche du montant des intérêts.

Mais trêve de mots. Regardons les choses d'une façon plus concrète afin de mieux mesurer l'énormité de ce que nous devons subir.

1. Article 25 de la loi 73-7 du 3 janvier 1973 – Valery Giscard d'Estaing était ministre des Finances quand cette orientation fut décidée.

Même si vous êtes fâché avec le côté un peu « technique » des chiffres et des courbes, surtout ne vous laissez pas impressionner par ce qui suit. Prenez au contraire le temps de les examiner attentivement, car ce que ces graphiques et le tableau traduisent est hallucinant !

En premier, nous vous proposons un graphique. Il montre les soldes annuels des budgets des administrations publiques de 1980 à 2006. La courbe inférieure traduit notre triste réalité, c'est-à-dire le solde avec charge d'intérêts. Quant à la courbe supérieure, elle représente ce qu'aurait été le solde des budgets annuels si nous n'avions pas eu à supporter la charge de ces intérêts. Maintenant regardez où se situe la ligne « zéro », là où le budget est équilibré. Il apparaît alors clairement que la charge des intérêts nous maintient en déficit permanent, alors que, sans intérêt, le budget aurait été dans la majorité des cas, soit équilibré, soit positif.

Soldes du budget, avec ou sans intérêts

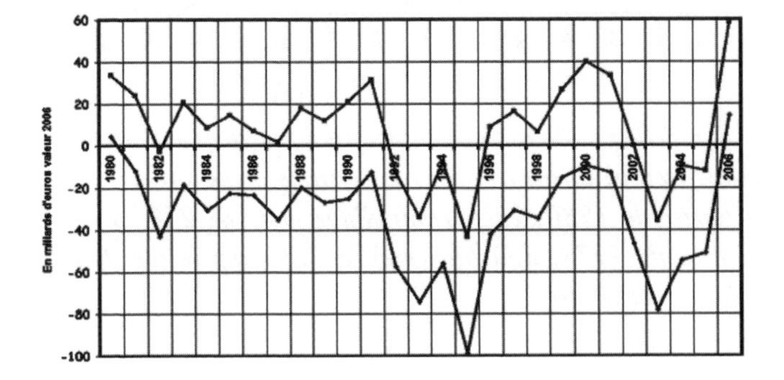

Soldes annuels des budgets des administrations publiques de 1980 à 2006 avec charge d'intérêts (courbe inférieure) et sans charge d'intérêts (courbe supérieure). On peut voir que, sans charge d'intérêts, les années où le solde annuel du budget est positif l'emportent largement sur celles où le solde est négatif.

Mais n'en restons pas là. Voici un second graphique qui représente l'évolution de la dette publique. La courbe supérieure indique l'évolution de la dette depuis le début de l'année 1980 jusqu'à fin 2006 avec charge d'intérêts. La courbe inférieure représente ce que serait devenue la dette qu'avait l'État au début de 1980 si nous avions été dans un système monétaire où l'État aurait récupéré son droit de création monétaire. Impressionnant non ? La dette s'envole dans le premier cas, elle se résorbe dans le second.

Dette cumulée constatée, et dette cumulée calculée « sans intérêts »

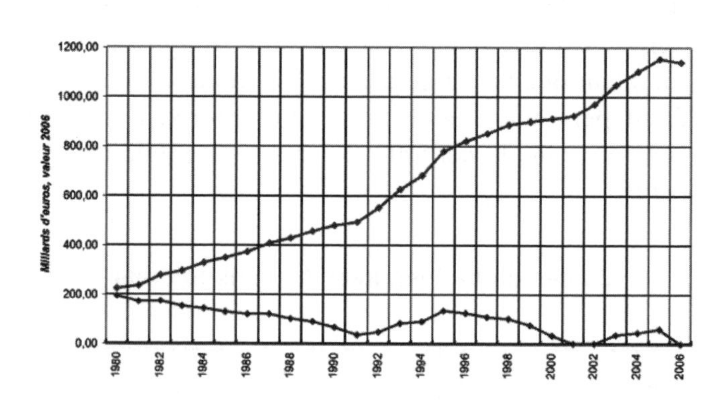

La dette publique (courbe supérieure) et ce qu'elle serait devenue (courbe inférieure) dans un système monétaire où l'État, à partir de 1980 (en partant d'une dette de 229 milliards d'euros fin 1979, déjà litigieuse), aurait récupéré son droit de création monétaire.

Allez ! Finissons par la « cerise sur le gâteau » : nous nous sommes livrés à un calcul, dont vous trouverez le détail dans le tableau « Évolution de la dette, avec ou sans intérêts » (p. 72) pour mesurer le prix que le peuple français paie pour cet abandon volontaire du droit de création monétaire pour lequel il n'a pas été consulté. Suivez bien le « pas à pas » du calcul dont les données sont issues de l'Insee[1].

- La dette publique en « euros courants » est inscrite dans la colonne B. Dans la colonne C, figure le coefficient de transformation des euros courants en euros constants (valeur 2006)[2]. Nous obtenons ainsi le montant de la dette actualisé en « euros 2006 » dans la colonne D. Nous avons commencé ce calcul à la date de 1979 avec une dette initiale de 82,80 M. d'euros (euros courants) soit 229,15 M. d'euros en valeur 2006. L'idéal aurait été de commencer dès 1973, date à laquelle la France a renoncé à son droit de création monétaire, mais nous ne possédions pas d'information antérieures à 1978[3].

La colonne E traduit la variation de la dette publique par simple différence avec l'année précédente.

La colonne F est issue d'un calcul des taux d'intérêts mensuels des obligations d'État, que nous avons moyennés en taux d'intérêts annuels : ils s'appliquent sur la moyenne du montant de la dette entre le 31 décembre de l'année précédente et le 31 décembre de l'année de référence pour permettre une estimation des intérêts payés sur cette période en colonne G (exemple : dette fin 1984 de 328,76 plus dette fin 1985 de 351,22 divisé par deux donne 339,99 sur lequel est appliqué le taux d'intérêt moyen de 10,94 %, cela donne une estimation des intérêts payés, arrondie à 37,2)[4].

1. (3.341 – Dette publique au sens de Maastricht) http ://www.insee.fr/fr/indicateur/cnat_annu/base_2000/finances_publiques/dette_deficit.htm /

2. http ://www.insee.fr/fr/indicateur/pouvoir_achat.xls

3. Il est en effet difficile de trouver des données antérieures à 1978.

4. Il ne peut s'agir que d'une estimation car la dette varie à chaque instant et les taux d'intérêts ne sont pas fixes au cours d'une année. Le fait de prendre un taux d'intérêt moyenné amène sûrement des distorsions mais qui s'appliquent probablement dans les deux sens : néanmoins cette estimation est sans doute très proche de la réalité.

La base du raisonnement utilisé pour calculer l'intérêt cumulé, est la suivante : soit une dette de l'année N-1 ; l'État paye l'année N des intérêts sur ce montant (suivant le taux moyen d'émission des obligations). La différence de la dette publique entre l'année N+1 et l'année N représente la somme des intérêts versés, augmentée éventuellement d'un certain capital emprunté supplémentaire, total nécessaire pour équilibrer les budgets[1].

Exemple 1 suivant le tableau

Du 31/12/1994 au 31/12/1995, période de fort déficit, la dette a augmenté de 99,0 M. d'euros (781,2 – 682,2). Le taux moyen sur la période est de 7,59 %. On peut considérer que les intérêts ont été payés sur la moyenne de la dette entre fin 94 et fin 95 [soit (682,2 + 781,2) / 2] = 731,5 M. d'euros, ce qui représente donc 55,5 M. d'euros (731,5 x 7,59 %). **C'est donc seulement de 99,0 – 55,5 = 43,5 M. d'euros dont nous aurions eu besoin si nous n'avions pas eu d'intérêts à payer. Autrement dit, notre dette n'aurait AUGMENTÉ que de 43,5 M. d'euros (au lieu de 99 M. d'euros) !**

Exemple 2 suivant le tableau qui suit :

Du 31/12/1999 au 31/12/2000, période plus faste, la dette n'a augmenté que de 9,5 M. d'euros (913,5 – 904,0). Le taux moyen sur cette période est de 5,45 %. On peut considérer que les intérêts ont été payés sur la moyenne de la dette entre fin 99 et fin 2000 [soit (904,03 + 913,48) / 2] = 908,7 M. d'euros ce qui représente donc 49,6 M d'euros (908,75 x 5,45 %). **C'est donc 49,6 – 9,5 = 40,1 M. d'euros que nous**

1. Bien évidemment certains ne manqueront pas de chipoter sur les chiffres moyennés et donc sur le résultat. Nous n'essayons pas ici de faire un calcul parfaitement exact qui aurait nécessité des semaines de recherches, mais d'apporter une approximation suffisante à l'appui de notre thèse.

n'aurions pas eu à emprunter si nous n'avions pas eu d'intérêts à payer. Autrement dit notre dette aurait été RÉDUITE de 40,1 M. d'euros (au lieu d'augmenter de 9,5 M. d'euros) !

Le résultat est accablant !

Au total, entre le début de 1980 et la fin de 2006, nous avons payé 1 142 milliards d'euros d'intérêts[1]. La dette, quant à elle, a augmenté de 913 milliards d'euros. Pendant ces vingt-six ans, si nous n'avions pas eu à emprunter ces 913 milliards sur les marchés monétaires, c'est-à-dire si nous avions pu créer notre monnaie, faire exactement ce qu'ont le droit de faire les banques privées, si nous n'avions pas abandonné au profit des banques notre droit de seigneuriage, c'est-à-dire le bénéfice, sous forme d'intérêts, de la création monétaire, la dette qui était de 229 milliards d'euros début 1980 serait inexistante aujourd'hui.

1. C'est tout à fait un hasard que ce montant de 1142 M. d'euros représentant les intérêts payés soit équivalent au montant de la dette à fin 2006. Si nous avions par exemple considéré l'année 2000, le total de la dette des administrations publiques s'établissait à 913,48 milliards, alors que le cumul des intérêts payés s'établissait à 877,8 milliards.

Évolution de la dette, avec ou sans intérêts

A	B	C	D	E	F	G	H	I
		Milliards d'euros constants						
1979	**82,80**	2,76756	**229,15**					229,15
1980	92,20	2,43722	**224,71**	4,4	13,03 %	**29,6**	**34,0**	195,14
1981	110,10	2,14906	**236,61**	-11,9	15,70 %	**36,2**	**24,3**	170,82
1982	145,50	1,92196	**279,65**	-43,0	15,69 %	**40,5**	**-2,5**	173,36
1983	170,00	1,75332	**298,06**	-18,4	13,63 %	**39,4**	**21,0**	152,41
1984	201,40	1,63236	**328,76**	-30,7	12,54 %	**39,3**	**8,6**	143,80
1985	227,70	1,54249	**351,22**	-22,5	10,94 %	**37,2**	**14,7**	129,07
1986	249,30	1,50254	**374,58**	-23,4	8,44 %	**30,6**	**7,3**	121,80
1987	281,20	1,45669	**409,62**	-35,0	9,43 %	**37,0**	**1,9**	119,86
1988	302,80	1,41851	**429,53**	-19,9	9,06 %	**38,0**	**18,1**	101,75
1989	333,30	1,36912	**456,33**	-26,8	8,79 %	**38,9**	**12,1**	89,62
1990	363,60	1,32451	**481,59**	-25,3	9,93 %	**46,6**	**21,3**	68,32
1991	385,10	1,28339	**494,23**	-12,6	9,05 %	**44,2**	**31,5**	36,80
1992	440,10	1,25367	**551,74**	-57,5	8,60 %	**45,0**	**-12,5**	49,33
1993	510,00	1,22809	**626,33**	-74,6	6,90 %	**40,6**	**-33,9**	83,28
1994	564,80	1,20795	**682,25**	-55,9	7,35 %	**48,1**	**-7,8**	91,11
1995	657,90	1,18742	**781,20**	-99,0	7,59 %	**55,5**	**-43,4**	134,52
1996	707,20	1,16446	**823,51**	-42,3	6,38 %	**51,2**	**8,9**	125,64
1997	742,50	1,15036	**854,14**	-30,6	5,63 %	**47,2**	**16,6**	109,05
1998	778,00	1,14242	**888,80**	-34,7	4,72 %	**41,1**	**6,5**	102,58
1999	795,30	1,13671	**904,03**	-15,2	4,69 %	**42,0**	**26,8**	75,76
2000	817,20	1,11782	**913,48**	-9,5	5,45 %	**49,5**	**40,1**	35,69
2001	842,50	1,09952	**926,35**	-12,9	5,05 %	**46,5**	**33,6**	2,09
2002	901,80	1,07900	**973,04**	-46,7	4,93 %	**46,8**	**0,1**	1,97
2003	994,50	1,05700	**1051,19**	-78,1	4,18 %	**42,3**	**-35,8**	37,81
2004	1068,30	1,03500	**1105,69**	-54,5	4,16 %	**44,9**	**-9,6**	47,45
2005	1138,40	1,01600	**1156,61**	-50,9	3,46 %	**39,1**	**-11,8**	59,23
2006	1142,20	1,00000	**1142,20**	14,4	3,86 %	**44,4**	**58,8**	0,45
						1141,7	**228,7**	

A = **Année**
B = **Dette publique cumulée en milliards d'euros courants**
C = **Coefficients de conversion des euros courants en euros valeur 2006**
D = **Évolution réelle de la dette publique en euros constants** (au 31/12)
E = **Soldes annuels des budgets publics**
F = **Taux moyen des intérêts de base bancaires pour l'année considérée**
G = **Estimation des intérêts payés** [Moyenne entre l'année référence et l'année précédente x Taux d'intérêt moyen]
H = **Solde budgétaires sans payement d'intérêt** [E – G] - le signe moins signale les déficits budgétaires résiduels dans cette hypothèse
I = **Estimation de l'évolution de la dette annuelle « sans intérêts »**, les soldes budgétaires étant utilisés au remboursement

Au début de ce chapitre, nous avons cité quelques exemples pour mieux nous rendre compte de ce que représente l'intérêt de la dette publique que nous payons tous les ans par nos impôts. En effet, quand on commence à jongler avec les milliards, pardon, les centaines et milliers de milliards, ces chiffres deviennent si abstraits que notre esprit décroche. Mais nous n'avons fait cette analogie que par rapport aux 40 milliards annuels prélevés sur la société française... Alors, à vos calculettes ! Car 1142 milliards, c'est plus de 28 fois plus ! Réalisez-vous l'incroyable détournement de richesse nationale que cela représente ? Et si encore cette somme avait été le prix à payer pour recouvrer notre souveraineté ! Hélas, elle est la marque de notre esclavage grandissant, car depuis 1973 nous avons forgé patiemment chaque maillon de la chaîne qui nous asservit et s'alourdit un peu plus chaque année... Alors oui, nos gouvernants commencent à s'en inquiéter ; et c'est heureux ! Mais en dénoncent-ils la vraie raison ? Non... sur ce point, pas un mot. Ils se limitent à nous servir un discours démagogique, histoire de nous culpabiliser, de nous faire porter la faute, à nous « enfants gâtés » qui, par nos exigences et nos caprices, avons poussé les gouvernements successifs à dépenser plus qu'ils n'auraient dû. La seule chose qu'ils savent nous dire, c'est qu'il faut réduire la dette, mais que notre Nation, et les autres, puissent recouvrer leur souveraineté financière, cette souveraineté qui a été bradée (contre quoi ?), de cela rien n'est dit, de cela pas question. Manifestement la volonté politique n'existe pas, ou plutôt elle existe, mais dans la détermination de ne pas revenir sur ce qui a été fait et de le tenir toujours secret. Comprenez-vous pourquoi nous avons choisi d'ouvrir ce livre sur le propos d'Henry Ford : « *Il est une chance que les gens de la nation ne comprennent pas notre système bancaire et monétaire, parce que si tel était le cas, je crois qu'il y aurait une révolution avant demain matin* » ?

Chapitre 5.

Coulisses et enjeux de la dette

Réduire la dette

Déjà, dans un passé récent, nous avons affecté le produit de la privatisation des autoroutes au remboursement de la dette. Cette fois, notre ministre de l'Économie, des Finances et de l'Emploi, Christine Lagarde, annonce fin juin 2007 : « *La cession de 5 % du capital de France Télécom par le gouvernement français a rapporté 2,65 milliards d'euros et le montant sera intégralement affecté au désendettement de l'État et des administrations publiques* ».

Alors, imaginez cette « analogie »...

Vous êtes propriétaire de biens divers, dont un vieux vélo. Ces biens représentent environ 19 600 euros[1]*, mais vous avez une dette qui s'élève à 11 420 euros fin 2006, sur laquelle*

1. Dans notre analogie, nous avons respecté la même proportionnalité entre la valeur du patrimoine et le montant de la dette, que dans notre pays : Patrimoine des administrations publiques 1 960 milliards d'euros (estimation minimale de l'Insee pour 2005) – Dette cumulée des administrations publiques en 2006 : 1 142 milliards d'euros.

vous payez un intérêt annuel[1] *de 3,70 % payable chaque semestre. Les intérêts se montent donc à 211 euros au 30 juin 2007). Mais comme vous n'avez pas ces intérêts disponibles en excédent de revenus sur vos dépenses (incompressibles), vous êtes obligé de les emprunter, ce qui évidemment augmente votre dette d'autant. Ainsi s'élève-t-elle fin juin 2007 à 11 631 (11 420 + 211).*

Le 30 juin, vous décidez de vendre votre vélo à un acheteur pour 26,5 euros[2] *afin de réduire un peu votre dette.*

Votre capital personnel est ramené à 19 573,5 (19 600 – 26,5) ce qui en soi est peu sensible. Maintenant, comment utiliser au mieux ces 26,5 euros pour le but que vous vous êtes fixé ?

Vous avez deux choix :

1. *Rembourser une petite part du capital : au début du second semestre, il se réduit à 11 604,5 euros (11 631 – 26,5). Les intérêts que vous aurez à payer le 31 décembre « ne sont plus que de » 214,5, mais comme vous ne les aurez toujours pas, votre dette remontera à 11 819 (11.604,5 + 214,5).*

2. *Affecter ces 26,5 euros au paiement des intérêts du second semestre. Toutes choses restant égales par ailleurs, vous n'aurez plus à trouver que 188,5 euros que vous serez néanmoins également obligé d'emprunter... Dans ce cas, en fin d'année votre dette sera de 11 819,5 (11 631 + 188.5).*

À l'évidence, aucune de ces deux solutions, beaucoup trop partielles[3]*, ne règle le problème global de votre dette qui aura*

1. Prévision de la charge de la dette pour 2007 : 43 milliards d'euros, soit environ 118 millions d'euros par jour.

2. Rapport (« similitude ») de la cession de 5 % de France Télécom pour 2,65 milliards d'euros.

3. À part la reprise du droit de création monétaire, la seule solution qui permettrait l'effacement de la dette serait la vente dans un délai bref de plus de 60 % des « bijoux de famille », c'est-à-dire les biens des administrations publiques qui font évidemment partie du « capital collectif » qui fait notre richesse, la « valeur France » estimée pour elle à 10 000 milliards d'euros, soit près de 170 000 euros par Français.

de toute façon augmenté de 399,5 à 400 euros, suivant votre choix, outre le fait que vous n'avez plus votre vieux vélo auquel vous teniez, malgré tout. Et si vos prêteurs décident d'augmenter le taux de l'intérêt au second semestre et les années suivantes ? Car pour le moment, ce taux est particulièrement bas... Alors imaginez la dégradation de votre situation si cela se produisait[1] !

Mais où avais-je la tête ? vous dites-vous d'un coup. Car vous vous rappelez soudain que vous aviez le droit le plus absolu de créer vous même la monnaie qui vous permettrait dans un premier temps de payer les intérêts dus et dans un second de rembourser le capital en deux décennies, par exemple... Ou bien, plus simplement encore, de décider qu'à partir de ce jour, toute la monnaie devient la vôtre au lieu de celle des banques et que les détenteurs de cette monnaie (qui par ailleurs sont vos créanciers) vous doivent, eux aussi, un intérêt au lieu de le payer aux banques...

Cette petite histoire, vous l'avez compris, n'a pour but que de rendre plus palpable le cul-de-sac dans lequel nous nous trouvons[2]. La dette, qui n'est pas un

1. Le sénateur Philippe Marini, à l'occasion du dernier débat d'orientation sur les finances publiques (2007), explique dans son rapport qu'une remontée des taux d'intérêt à long terme, qui sont fixés par les marchés et non par la Banque centrale européenne (BCE), va accroître la charge annuelle de la dette (c'est le paiement des intérêts et non le remboursement du capital), de 7 milliards d'euros de plus chaque année. Il rappelle également que : « les taux d'intérêt à long terme, en réduction structurelle depuis le début des années 80, sont passés de 5,4 % en 2000 à 3,8 % en 2006. Sans cette baisse, la charge de la dette serait supérieure de 30 % à ce qu'elle est aujourd'hui ». Cette époque bénie de l'argent facile est désormais derrière nous. Depuis la fin 2005, les obligations d'État à 10 ans (OAT) sont déjà passées de 3,30 % à 4,46 % (en juin 2007). Ce sera évidemment pour le plus grand plaisir des marchés financiers qui détiennent la majorité de la dette française.

2. Certains proposent aussi de rembourser une partie de la dette en vendant les 3000 tonnes d'or qui dorment dans les caves bien gardées de la Banque de France, mais :

- 20 % de nos réserves en or sont déposés auprès de la Banque Centrale Européenne. Jointes à celles des autres pays, elles constituent les réserves officielles de la BCE : nous ne pouvons pas y toucher.

- Selon le traité de Maastricht, nous devons garder cet or à la disposition de la BCE, qui peut les appeler en cas de nécessité. Nos engagements internationaux

problème propre à la France, est maintenant l'essence même du système financier mondial. La question, comme on voudrait nous le faire croire, ne se résume pas à se demander comment réduire le poids de la dette de l'État français comme un père de famille peut se demander comment réduire ses dettes auprès de sa banque. La question est infiniment plus vaste que cela.

L'argent moderne, disons-le encore au risque de nous répéter, provient de la création monétaire *ex nihilo* par le système bancaire, par le biais du crédit. Autrement dit **la masse monétaire mondiale est une dette**, répartie entre les États, les entreprises et les ménages. TOUT L'ARGENT QUI EXISTE SUR CETTE PLANÈTE EST DÛ. **Dès lors, c'est le destin des hommes qui se trouve suspendu au bon vouloir du système bancaire, selon qu'il accepte ou non d'accorder des crédits pour ceci ou cela**. Sur quels critères ? La nature maintenant « privée » de l'argent induit des critères de solvabilité et de profitabilité. Les crédits vont donc vers les emprunteurs solvables et sont porteurs d'intérêts ; logique certes rémunératrice pour une élite, mais dévastatrice pour le plus grand nombre !

---

sont clairs : nous ne pouvons pas en disposer à notre guise. En effet, si une banque centrale vendait tout son stock d'or, les cours s'effondreraient et la valeur - théorique - des stocks des autres banques centrales partirait en fumée. C'est pour cela que des accords limitent les ventes, qui ne peuvent être que marginales et selon l'accord de Bâle de 1999, la France n'a le droit de vendre que 100 tonnes par an.

- L'État (et le gouvernement) ne peut disposer du montant des ventes d'or. En toute rigueur, il appartient à la Banque de France et celle-ci est indépendante du gouvernement.

- L'intérêt de cette vente serait très minime... Au cours de février 2008, 100 tonnes représenteraient à peu près deux milliards d'euros. La vente annuelle autorisée de notre or représenterait donc à peine 1/600e de notre dette publique, ce qui est insignifiant et ne résoudrait pas le problème de notre endettement.

- Même si nous vendions les 3000 tonnes d'or, et en admettant qu'une telle vente ne fasse pas baisser les cours, les 60 milliards d'euros que nous pourrions en tirer ne représenteraient que 5 % de la dette : quasiment une simple année d'intérêts !

Mais au-delà de la dette, quels sont les grands défis de notre temps ?

- **Un défi humain** : faire face aux besoins des 6,5 milliards de personnes (demain 8 ? 10 ?), dont un bon tiers est encore tenu dans une misère insoutenable.

- **Un défi écologique** : adapter RAPIDEMENT nos modes de production et de consommation pour les rendre compatibles avec les équilibres nécessaires à une vie pérenne sur la Terre.

Ces défis, aucune génération, à aucune époque, n'a eu à les relever. Défis immenses qui dépassent l'entendement et nécessitent la mobilisation de toutes les énergies, la fédération de tout le potentiel du génie humain si nous voulons y répondre adéquatement. Mission impossible ? Non, mission d'une extrême complexité, certes, mais nous avons déjà tous les atouts en main pour réussir :

- nous avons des connaissances et des moyens technologiques considérables, en constante progression,

- nous avons des centaines de millions de personnes au chômage ou sous-occupées dans le monde, qui aspirent à une vie digne en contribuant à une tâche qui ait du sens,

- nous avons une planète (et une seule) qui regorge encore de trésors et qui ne se résume pas à un sol inerte sur lequel nous posons nos pieds. Cette planète, c'est la dynamique même de la vie.

Que manque-t-il alors ? L'argent... Cet argent qui pourtant est « tiré d'un chapeau » et qui, par conséquent, ne devrait jamais manquer pour servir les hommes. Seulement voilà, privatisé, il est détourné de sa vocation profonde (celle d'irriguer toutes les cellules du corps de l'humanité pour un mieux-être constant des habitants de ce monde) pour ne servir en fin de compte que l'appétit insatiable des plus nantis. L'avenir du monde est entre les mains des quelques « boutiquiers » assez cupides et aveugles pour vouloir le « refaire » dans le seul objectif de remplir leur tiroir caisse.

Vous rendez-vous compte de l'absurdité de la situation ? D'un côté nous avons tout ce qu'il faut, au moins potentiellement, pour relever le défi, et de l'autre nous voilà paralysés par un obstacle imaginaire, purement virtuel, celui d'un soi-disant manque d'argent. Un peu comme si, perdus dans le désert, nous étions parvenus au bord d'une oasis, mais que nous restions là, mourant de soif au bord de l'eau, dans l'attente de recevoir la monnaie de singe artificiellement raréfiée par les autorités autoproclamées de notre groupe, monnaie sans laquelle l'accès à l'eau salvatrice nous serait interdit. Voyez-vous ce qui se joue là ? Il ne s'agit pas d'une simple lutte des pauvres contre riches ; la question va bien au-delà de l'équité sociale, bien au-delà de la lutte des classes. C'est une question de « DYNAMIQUE DE JEU ». Le train dans lequel nous avons choisi de monter en 1973 (sans que l'on nous ait demandé notre avis), ne peut aller que là où conduisent ses rails et cette destination sera commune à tous dès lors que c'est la survie même de la planète qui est en jeu. Pour en prendre pleinement la mesure, voyez la différence :

Si aujourd'hui les États avaient conservé le pouvoir de création monétaire, nous pourrions financer, sans augmenter la fiscalité, et sans emprunter, tout ce qui serait possible de réaliser pour répondre à la situation : nous pourrions aider l'industrie à modifier ses processus de fabrication pour les rendre écologiques ; nous pourrions envisager une mutation rapide de nos modes de transport, en particulier en développant le rail et les transports collectifs, qu'il serait possible de rendre gratuits ; nous pourrions nous engager plus massivement dans une politique de réduction de consommation d'énergie ainsi que dans le développement et la mise en service d'énergies renouvelables. Nous pourrions orienter rapidement notre production agricole vers des méthodes qui restaurent les terres et ne polluent plus les rivières et les sous-sols ; nous pourrions améliorer les services de santé, la justice, l'éducation... Au lieu de penser le monde au travers des moyens financiers que l'on estime possible de mobiliser, on pourrait enfin le penser en fonction des seules vraies questions qui se posent à nous aujourd'hui et nous focaliser sur les solutions dont les limites seraient uniquement fixées par :

- **les ressources humaines** d'une part :
  - en qualité : par manque de formation, mais cette adaptation là pourrait n'être qu'une affaire de quelques années dès lors que l'on sait ce que l'on veut et que les candidats savent que cela va déboucher,
  - en quantité surtout : car on peut imaginer qu'alors le plein emploi serait vite retrouvé et que l'on pourrait même manquer rapidement de personnels,
- **les ressources naturelles** d'autre part, car dans ce grand chantier d'adaptation et de mutation, il faudrait, bien sûr, veiller à ce que ce qui est entrepris par les uns et les autres, soit compatible avec les équilibres écologiques, sinon, tout cela n'aurait aucun sens.

Au lieu de cela et à cause de la privatisation de la monnaie :

- L'intérêt produit l'effet d'une pompe qui ramène l'argent, où qu'il soit déversé au départ, dans la poche des possédants. Il a pour effet de désertifier des espaces pourtant riches de potentiels et d'inonder d'autres espaces non productifs de richesses réelles.

- Des centaines de millions de personnes sont soit au chômage, soit occupées à des fonctions dont les conséquences sont plus nuisibles que bénéfiques à la société. Dès lors que la finalité économique se réduit à la seule recherche de maximisation à court terme du profit financier des entreprises privées et de leurs actionnaires, la Terre, ce qu'elle contient et la richesse du travail humain lui sont inféodés.

- Le montant des intérêts, qui n'est jamais créé avec le capital, place la population mondiale dans la situation où le montant global de sa dette est supérieur à la masse monétaire disponible. Pour cette raison et à leur insu, les être humains sont réduits à lutter les uns contre les autres pour trouver dans la poche des autres l'argent qui leur manque. Cela se traduit par l'élargissement de toutes les fractures sociales à l'intérieur des nations et entre nations, génératrices de toutes les violences, depuis le petit délinquant de quartier jusqu'au terrorisme international en passant par les guerres « saintes »... Les termes de démocratie, de solidarité, d'entraide, de coopération, de paix, ne sont que déguisements verbaux et effets de manche impuissants à cacher la réalité qu'impose la dynamique guerrière de l'argent privatisé.

- Toute réforme ou mutation profonde soulève toujours des levées de bouclier parce qu'elles se traduisent par la fragilisation de certains intérêts particuliers. Si l'État pouvait créer sa monnaie, il pourrait financer toutes les mesures d'accompagnement afin que les professions qui auraient à souffrir des conséquences des réformes, ne se retrouvent pas livrées à elles-mêmes face au spectre de la faillite et du chômage.

- Toute mise en œuvre de projet dépend exclusivement de la capacité à trouver son financement. Or ce qu'il faudrait mettre en œuvre pour relever les défis de notre temps nécessite certainement des sommes considérables que l'on ne peut plus mobiliser compte tenu du niveau actuel d'endettement. De toute façon, ce qu'il faudrait entreprendre concerne pour une bonne part des projets qui, pour être profitables en termes de qualité de vie, ne seraient pas « rentables » financièrement et donc inéligibles au crédit.

- Les pratiques les plus douteuses en terme d'éthique et nuisibles au regard de l'intérêt général se développent, tant dans le monde de la finance que dans celui du commerce, de l'industrie et de l'agriculture, sans oublier celui de la politique, sans que l'on puisse y remédier vraiment puisque la fin (l'accès à l'argent) justifie les moyens (pratiques douteuses et nuisibles). L'humanité est devenue l'otage de quelques intérêts particuliers, comme les passagers d'un avion détourné par quelques pirates de l'air pour une cause injuste.

- L'argent privatisé induit la dérive des marchés financiers vers une spéculation outrancière, qui n'est d'aucune utilité à l'économie réelle[1]. Les effets de levier et le fait que les sommes jouées dans ce grand casino sont souvent empruntées, peuvent en cas de crise conduire à des faillites en série très dommageables à l'économie réelle. Cette crise, qui émerge depuis l'été dernier, menace à tout moment d'exploser. Pour le moment, on met des pansements propres pour cacher la plaie au public, mais le membre est gangréné.

Voilà ce qui se joue vraiment dans les coulisses de la dette. Il ne s'agit pas d'une simple histoire de gros sous. Il s'agit de se libérer des contraintes artificielles qui empêchent la mise en œuvre de ce qui serait nécessaire pour relever le fantastique défi que l'humanité a à relever dans un minimum de temps !

---

1. On estime que sur les 4000 milliards de dollars échangés chaque jour sur les marchés financiers, à peine 5 % servent l'économie réelle. Le reste n'est que pur jeu de casino.

Une dérive de la démocratie

Ayant pris en compte tout ce qui précède, on peut se demander comment des personnes sensées, instruites, élites de la nation, peuvent d'un côté plaider pour la réduction de la dette, et de l'autre, faire des pieds et des mains pour obtenir la ratification du traité de Lisbonne (pure copie, mais présentée sous une forme différente, du TCE refusé par référendum par les Français et les Hollandais en 2005) qui reprend en son article 123, l'article 104 du traité de Maastricht[1] qui interdit à l'Union Européenne de créer sa propre monnaie. C'est faire preuve d'une incompréhensible contradiction ; c'est vouloir une chose et son contraire !

Cette contradiction révèle combien les élites mondiales sont assises entre deux chaises : d'un côté tâcher de répondre aux aspirations des citoyens dont la préoccupation principale est l'amélioration de leur qualité de vie, et de l'autre aider les entreprises engagées dans une guerre économique sans merci où la clé du succès dépend du niveau de profit financier qu'elles peuvent réaliser. Or la logique comptable du monde économico-financier et la logique humaine des habitants-Terre ne se conjuguent pas. Les êtres humains vivent de ce qu'ils mangent, de ce qu'ils boivent, de ce qu'ils reçoivent et de ce qu'ils offrent ; ils vivent de levers de soleil et de rêveries aux étoiles ; ils vivent de la magnificence des paysages du monde ; ils vivent de la fertilité des champs, de la pluie fécondante et du souffle des vents ; ils vivent du sourire et des larmes de leurs enfants ; ils vivent de chansons, de danses et de fêtes entre amis ;

1. Nous le rappelons à toutes fins utiles. Article 104 du Traité de Maastricht : « Il est interdit à la BCE et aux banques centrales des états membres, ci-après dénommées « banques centrales nationales » d'accorder des découverts ou tout autre type de crédit aux institutions ou organes de la Communauté, aux administrations centrales, aux autorités régionales ou locales, aux autres autorités publiques, aux autres organismes ou entreprises publics des États membres ; l'acquisition directe, auprès d'eux, par la BCE, ou les banques centrales nationales, des instruments de leur dette est également interdite. »

ils vivent de traditions, d'embrassades, de joies, de peines aussi... ils vivent de tous leurs sens, de toutes leurs émotions... Comment cette unité de compte, appelée argent, simple signe vide de toute richesse, de tout contenu propre, pourrait-elle s'imposer à la vie ? Et pourtant l'être humain a réussi ce tour de force ! S'enfermer dans un jeu économique qui l'oblige à faire dépendre son existence de ce signe sans corps, de se courber sous le joug de règles impies qui le rend nuisible à la qualité de vie, et bientôt sans doute à la vie elle-même. Voilà où prend naissance la contradiction. Dans le choix d'un mauvais maître, choix conscient pour certains, inconscient pour d'autres. Pourquoi un choix en apparence aussi fou ? Parce que, mises à part les récentes années dans les pays industrialisés, l'histoire de l'humanité s'inscrit dans une rareté due au manque de connaissances et de moyens qui l'a enfermée dans une « dynamique guerrière » de lutte pour la survie. Le capitalisme libéral, qui est né voici plus de deux cents ans, est imprégné de cette dynamique sans doute encore nécessaire à l'époque. Elle se traduit par la compétition placée en valeur absolue, dont l'élan se trouve dans l'opposition entre le travail et le capital, et dans la seule reconnaissance de l'intérêt particulier, en posant pour principe que la somme des égoïsmes satisfaits peut engendrer une société vertueuse. La seule période de l'histoire moderne où les effets destructeurs d'une concurrence débridée ont été contrebalancés, où l'intérêt collectif a été pris en compte à parité avec l'intérêt particulier, se situe après la seconde guerre mondiale, au cours de ces trente années de reconstruction appelées les « 30 glorieuses ». Sans doute qu'en ces temps, au lendemain de cette immense déchirure, l'homme a-t-il aspiré plus que jamais à vivre en paix... Mais sa mémoire est courte et, au lieu d'en finir à tout jamais avec ce qui l'obligeait encore à construire son bien-être au dépend des autres, voilà que la prospérité trouvée réanime chez les plus puissants (nations et individus) des appétits féroces nourris de l'égoïsme fondateur. C'est le courant dit « néo libéral » qui reprend toute sa vigueur dès le début des années 70 et qui va s'imposer jusqu'à nos jours. Pas étonnant alors que les particuliers les plus puissants soient parvenus à arracher le pouvoir de la création monétaire aux peuples à qui il revenait de droit comme symbole de leur souveraineté. Pas étonnant que l'humanité soit paralysée, incapable d'agir pour la paix, la justice et la vie dès lors qu'elle a choisi de donner un pouvoir supérieur à ce qui ne devrait être qu'un outil. Pas étonnant que les gouvernants soient assis entre deux chaises, appuyant sur le frein et l'accélérateur à la fois, passant maîtres dans l'art du double langage ou de la langue de bois dans l'espoir de satisfaire et les uns et les autres alors que leurs intérêts, par essence, ne peuvent se conjuguer à moins de remettre les choses dans l'ordre naturel de la vie : l'outil au service de la vie et non la vie au service de l'outil.

Pour le moment, nous nous chauffons aux flammes de l'ultra libéralisme, attisé chaque jour par le monde marchand qui exerce sur toutes les institutions nationales et supra nationales un lobbying permanent ; institutions tenues fermement en laisse par l'argent dont elles ne détiennent plus le pouvoir et que ce même monde consent à redistribuer et à orienter selon ses priorités. Le rêve libéral est un monde privatisé où seule règne la « main invisible du marché » comme la nommait Adam Smith[1] ; car le marché, selon cette idéologie, est autorégulateur ; les problèmes ne viennent que des interférences, en particulier de l'État qui, par ses initiatives, trouble le jeu. Le rêve libéral est un monde où l'État est réduit à une seule mission de maintien de l'ordre. Garantissez la sécurité, et nous, marchands, nous chargeons du reste... Or, dans les composantes du courant ultralibéral, on trouve son porte-drapeau dans l'Organisation Mondiale du Commerce

1. Adam Smith (1723-1790) est considéré comme le père de la science économique moderne. Son œuvre principale, *La richesse des nations*, est un des textes fondateurs du libéralisme.

(OMC) dont le cheval de bataille est actuellement l'AGCS (Accord général pour le commerce des services) et dont la France, comme les autres pays de l'Union, est signataire. L'idée dominante, derrière cet accord, est d'obtenir la libéralisation progressive de tous les services pour permettre au « rêve » de devenir réalité. Tous les domaines sont visés, et en particulier ceux qui pour le moment encore relèvent de l'État, comme la santé ou l'éducation. Il n'y a pas de calendrier, mais les pays signataires sont engagés à présenter tous les ans des projets de libéralisation de leur économie.

Dans ces conditions, ce qui pour nous prenait figure de contradiction devient en fin de compte très cohérent si on replace les choses à l'intérieur d'une stratégie ultralibérale : rembourser la dette, sans rétablir au préalable le pouvoir de création monétaire aux nations et sans augmenter les recettes fiscales, ce qui est manifestement la tendance actuelle, c'est nécessairement amputer les ressources publiques, ce qui implique de transférer sur le privé, petit à petit tous les services, faute de pouvoir les financer... Les Français, fort attachés à la notion de service public, grincent des dents chaque fois que l'on veut s'y attaquer. Si le projet contenu dans l'AGCS était officiellement annoncé, nul doute qu'il conduirait les gens dans la rue. Mais après quelques années de « lavage de cerveau à l'électrochoc dette » et en procédant par petites touches successives de privatisations, comme on pose patiemment les pièces d'un puzzle (tout est une question de dosage, il suffit de ne pas dépasser le seuil de tolérance de la sensibilité citoyenne), il est possible d'obtenir sur dix ou vingt ans ce qui provoquerait aujourd'hui une révolution ! Pour clore ce chapitre, nous aimerions partager avec vous ce magnifique texte de Tocqueville[1] qui, en

1. Alexis Henri Charles Clérel, vicomte de Tocqueville (1805 – 1859) penseur politique, historien et écrivain français. Il est célèbre pour ses analyses de la révolution française, de la démocratie américaine et de l'évolution des démocraties occidentales en général.

son temps, alertait déjà sur les dérives possibles en démocratie. Serait-on tombés dans le piège ? Il semble bien que oui...

« *Il y a un passage très périlleux dans la vie des peuples démocratiques.*

Lorsque le goût des jouissances matérielles se développe chez un de ces peuples plus rapidement que les lumières et que les habitudes de la liberté, il vient un moment où les hommes sont emportés et comme hors d'eux-mêmes, à la vue de ces biens nouveaux qu'ils sont prêts à saisir. Préoccupés du seul soin de faire fortune, ils n'aperçoivent plus le lien étroit qui unit la fortune particulière de chacun d'eux à la prospérité de tous. Il n'est pas besoin d'arracher à de tels citoyens les droits qu'ils possèdent ; ils les laissent volontiers échapper eux-mêmes. (...)

Si, à ce moment critique, un ambitieux habile vient à s'emparer du pouvoir, il trouve que la voie à toutes les usurpations est ouverte. Qu'il veille quelque temps à ce que tous les intérêts matériels prospèrent, on le tiendra aisément quitte du reste. Qu'il garantisse surtout le bon ordre. Les hommes qui ont la passion des jouissances matérielles découvrent d'ordinaire comment les agitations de la liberté troublent le bien-être, avant que d'apercevoir comment la liberté sert à se le procurer ; et au moindre bruit des passions politiques qui pénètrent au milieu des petites jouissances de leur vie privée, ils s'éveillent et s'inquiètent ; pendant longtemps la peur de l'anarchie les tient sans cesse en suspens et toujours prêts à se jeter hors de la liberté au premier désordre.

Je conviendrai sans peine que la paix publique est un grand bien ; mais je ne veux pas oublier cependant que c'est à travers le bon ordre que tous les peuples sont arrivés à la tyrannie. Il ne s'ensuit pas assurément que les peuples doivent mépriser la paix publique ; mais il ne faut pas qu'elle leur suffise. Une nation qui ne demande à son gouvernement que le maintien de l'ordre est déjà esclave au fond du cœur ; elle est esclave de son bien-être, et l'homme qui doit l'enchaîner peut paraître. (...)

Il n'est pas rare de voir alors sur la vaste scène du monde, ainsi que sur nos théâtres, une multitude représentée par quelques hommes. Ceux-ci parlent seuls au nom d'une foule absente ou inattentive ; seuls ils agissent au milieu de l'immobilité universelle ; ils disposent, suivant leur caprice, de toutes choses, ils changent les lois et tyrannisent à leur gré les mœurs ; et l'on s'étonne en voyant le petit nombre de faibles et d'indignes mains dans lesquelles peut tomber un grand peuple... »

« Le naturel du pouvoir absolu, dans les siècles démocratiques, n'est ni cruel ni sauvage, mais il est minutieux et tracassier. » Alexis de Tocqueville (Extrait de *De la Démocratie en Amérique*, Livre II, 1840)

Chapitre 6.

Propositions [1]

Parvenu à ce stade, sans doute vous demandez-vous ce que l'on peut proposer en échange de ce système mortifère. Avant de vous résumer notre position, nous allons vous présenter celles de quelques personnalités dont les réflexions ont inspiré nos travaux, ou dont les conclusions sont proches des nôtres.

* De Tovy Grjebine [2]

Enregistrée à l'Assemblée Nationale le 22 juillet 1981, la proposition de loi organique n° 157 avait pour but de limiter le rôle de l'endettement dans la création de la monnaie et de permettre une nouvelle politique

1. Notre souhait est que l'une de ces propositions s'applique au niveau de l'euro, mais peut-être faudra-t-il envisager la possibilité de reprendre notre indépendance monétaire ?...

2. En fait cette proposition de loi fut inspirée par Tovy Grjebine et présentée au Parlement par quarante députés.

économique assurant la résorption du chômage et l'indépendance énergétique[1].

Article Premier

Le budget de l'État est présenté en trois parties :

1) Un budget fiscal de recettes et dépenses courantes. Ce budget est obligatoirement équilibré ; des charges d'investissement peuvent figurer dans les dépenses courantes.

2) Un budget bancaire de prêts de l'État à des agents économiques privilégiés. Ce budget ne peut être financé que par les ressources du Trésor. Ce budget est affecté à des investissements.

3) Un budget de croissance financé par une création monétaire proportionnelle à la croissance du PNB. Ce budget est affecté à des actions d'intérêt général ou participe au financement du premier budget qui comporte dans ce cas une réduction du prélèvement fiscal.

Article 2

Pour financer le budget de croissance dans les limites fixées annuellement par la loi de Finances, le Gouvernement est autorisé à émettre des bons du Trésor spéciaux. Ces bons sont vendus à la Banque de France par le Trésor. Ces bons ne rapportent pas d'intérêt et n'ont pas d'échéance.

Article 3

Le rapport entre les contreparties nationales ou internationales de la monnaie et les contreparties dues à l'endettement est fixé annuellement par la loi de Finances.

---

1. Janpier Dutrieux sur son site http ://fragments-diffusion.chez-alice.fr a sélectionné les extraits significatifs de l'exposé des motifs précédant la proposition de loi organique n° 157.Ce projet de loi fut malheureusement rejeté par les Députés. Une belle occasion ratée par les socialistes qui avaient là le moyen d'ouvrir une nouvelle voie.

* De Maurice Allais [1]

Selon Maurice Allais, la réforme doit s'appuyer sur deux principes tout à fait fondamentaux :

- La création monétaire doit relever de l'État et de l'État seul : « *Toute création monétaire doit relever de l'État et de l'État seul : toute création monétaire autre que la monnaie de base par la Banque centrale doit être rendue impossible, de manière que disparaissent les « faux droits » résultant actuellement de la création de monnaie bancaire...* » et il ajoute : « *Par essence, la création monétaire* ex nihilo[2] *que pratiquent les banques est semblable, je n'hésite pas à le dire pour que les gens comprennent bien ce qui est en jeu ici, à la fabrication de monnaie par des faux-monnayeurs, si justement réprimée par la loi. Concrètement, elle aboutit aux mêmes résultats. La seule différence est que ceux qui en profitent sont différents* »[3].

- Tout financement d'investissement à un terme donné doit être assuré par des emprunts à des termes plus longs ou tout au moins de même terme.

De plus, un nouveau « Bretton-Woods » pour réformer le système monétaire international est absolument nécessaire. Cette réforme impliquerait notamment :

- l'abandon total du système des changes flottants et son remplacement par un système de taux de change fixes, mais éventuellement révisables ;
- des taux de change assurant un équilibre effectif des balances des paiements ;
- l'interdiction de toute dévaluation compétitive ;

1. Physicien et économiste. Il a reçu le Prix Nobel de Sciences Économiques en 1988.

2. Nous rappelons que cette création monétaire *ex nihilo* par les banques commerciales dont parle Maurice Allais représente 93 % de la masse monétaire qui a été émise dans la zone euro à ce jour.

3. *La crise mondiale d'aujourd'hui – Pour de profondes réformes des institutions financières et monétaires*, éd. Clément Juglar.

- l'abandon total du dollar comme monnaie de compte, comme monnaie d'échange, et comme monnaie de réserve sur le plan international ;
- la fusion en un même organisme de *l'Organisation mondiale du commerce et du Fonds monétaire international* ;
- la création d'organisations régionales ;
- l'interdiction pour les grandes banques de spéculer pour leur propre compte sur les changes, les actions et les produits dérivés ;
- et finalement l'établissement progressif d'une unité de compte commune sur le plan international, par un système approprié d'indexation.

* De Jean-Marcel Jeanneney [1]

Il propose une dotation directe de la Banque Centrale aux citoyens[2].

À l'actif de la Banque Centrale est créée une ligne intitulée « émissions faites en application de la loi du... », au passif se fait la dotation (tout comme les billets de Banque en circulation sont au passif de la Banque mais jamais remboursés). Dans ce mécanisme, tout se passe au niveau de la Banque Centrale : il est donc sans effet sur la présentation de la dette et du déficit publics. Économiquement, il est cependant équivalent à une baisse de l'impôt sans augmentation du déficit !

1. *Écoute la France qui gronde*, Ed. Arléa – 1996 : Ancien ministre et ancien président de l'OFCE.

2. Il s'agit littéralement d'une amorce de « revenu citoyen ».

* De James Robertson [1]

« Les banques centrales créent la monnaie centrale aussi bien scripturale que fiduciaire. Elles créent, ex nihilo, *à intervalles réguliers, les montants qu'elles estiment nécessaires pour augmenter la masse monétaire. Elles remettent ces montants à leurs gouvernements sous forme de recettes publiques et sans intérêt. Les gouvernements doivent alors mettre cet argent en circulation sous forme de dépenses publiques. Il sera alors illégal pour quiconque de créer de la monnaie scripturale, libellée dans la devise nationale, tout comme il est illégal de frapper de fausses pièces de monnaie ou d'imprimer de faux billets de banque.*

Ceci implique qu'il sera interdit aux banques commerciales de créer de la monnaie. Elles devront emprunter l'argent qui existe déjà pour le prêter, tout comme le font d'autres intermédiaires.

Le profit (ou le « seigneuriage ») qui provient de ce type de création monétaire devra constituer des recettes publiques et non demeurer l'apanage de sociétés privées. Un autre principe est que ces devises publiques devront être émises **sans intérêt** *et non en tant que dette remboursable, accordée en contrepartie d'un paiement d'intérêts.*

En d'autres termes, le gain généré par une monnaie « collective » ne devra plus revenir aux banques commerciales mais être attribué aux recettes publiques[2].

Quel que soit l'organisme chargé de la création monétaire, trois solutions lui sont offertes : soit donner ces fonds, soit les mettre en circulation par le biais de dépenses, soit les prêter en

1. http ://en.wikipedia.org/wiki/James_Robertson_ %28activist %29 et http :/ /www.jamesrobertson.com/, dans le livre écrit avec John Bunzl, *Monetary Reform – Making it Happen*, traduit en français sous le titre *La réforme monétaire, bientôt une réalité*, téléchargeable en pdf sur http ://www.societal.org/docs/bunzl-robertson.pdf

2. Cette réforme permettrait de dégager dans la zone euro des intérêts probablement supérieurs à 300 milliards d'euros aux taux actuels. De plus, c'est tout simplement les intérêts d'une « dette publique » soit plus de 40 milliards d'euros annuels pour la France qui n'auraient plus à être payés par la collectivité à des « détenteurs de la dette » qui sont déjà parmi les plus riches.

contrepartie d'un paiement d'intérêts. Dans la réforme nationale que nous proposons, les profits résultant de la création de monnaie nationale seront alloués à la communauté nationale dans son ensemble, un changement comparable à l'échelle internationale profitera à la communauté internationale toute entière. Cette réforme permettra de remplacer l'utilisation actuelle du dollar américain et d'autres monnaies nationales telles que le yen, l'euro et la livre comme « monnaies de réserve », par une devise mondiale qui sera émise par une autorité monétaire mondiale. Celle-ci pourra canaliser les gains d'émission transformés en recettes publiques qui seront alors dépensées par la communauté internationale. [...]

Il est nécessaire d'insister auprès des ministères pour que soit clarifié et expliqué le mécanisme actuel de création de la plus grande partie de la masse monétaire, et enfin reconnaître publiquement qui est le gagnant et le perdant de cette création monétaire.

La réforme proposée ne signifie pas que la Banque centrale aura le pouvoir de décider de l'utilisation de la création monétaire, la rendant ainsi responsable de la politique fiscale et monétaire et privant le gouvernement élu du pouvoir de diriger l'économie ! La Banque centrale ne décidera que des augmentations nécessaires de la masse monétaire, et procédera à la création monétaire correspondante. Elle remettra les fonds dégagés au gouvernement sous forme de recettes publiques, en laissant donc au gouvernement élu le pouvoir de décider, tout comme il le fait en matière d'impôts et d'autres recettes publiques, à quelles fins l'argent sera utilisé. Actuellement, ce sont bien entendu les banques commerciales qui décident à la fois du montant de la création monétaire et de la sélection des emprunteurs, ainsi que de l'utilisation réservée aux prêts.

On pourrait prétendre que la réforme augmentera le pouvoir centralisé de l'État. Si le fait de traiter la création monétaire comme des recettes publiques, de collecter les fonds dégagés comme des recettes publiques et de distribuer ces fonds en tant que ressources publiques, par le bais de programmes de dépenses publiques, représente une centralisation inacceptable, alors le même principe devrait s'appliquer au monopole exercé par l'État sur les impôts et les dépenses publiques. Imaginez un instant que la gestion des impôts et les dépenses publiques ait été confiée à un moment de l'histoire aux grandes banques multinationales moyennant une rémunération ! »

* Du groupe Construction européenne d'Attac Rhône

1. La Banque centrale européenne et les banques centrales nationales constituent le système européen des banques centrales.

La Banque centrale européenne et les banques centrales des États européens dont la monnaie est l'euro, qui constituent l'Eurosystème, conduisent la politique monétaire de l'Union.

2. Le système européen des banques centrales a pour principaux objectifs : l'emploi, le développement économique soutenable, la stabilité des prix.

3. La Banque centrale européenne est seule autorisée à créer de la monnaie en euros, qu'elle soit fiduciaire ou scripturale. Une loi organique définit à cet effet les orientations de la réglementation bancaire. Seul l'euro a cours forcé sur le territoire des États membres de l'Eurosystème.

4. Organisation :

Les statuts de la Banque centrale européenne sont définis dans une loi organique.

Les organes de décision de la Banque centrale européenne sont le Conseil des gouverneurs et le Directoire :

Le Conseil des gouverneurs de la Banque centrale européenne se compose des membres du Directoire de la Banque centrale européenne et des gouverneurs des banques centrales nationales.

Le Directoire se compose du président, du vice-président et de quatre autres membres.

Le président, le vice-président et les autres membres du Directoire sont nommés et peuvent être démis d'un commun accord par les membres du Parlement appartenant à la zone euro, après consultation des États européens.

Leur mandat a une durée de huit ans et n'est pas renouvelable.

5. Devant le Parlement de l'Union, la Banque centrale répond annuellement de ses activités et de ses résultats concernant les trois objectifs principaux qui lui sont fixés par le présent article.

6. La monnaie confiée aux collectivités publiques ne peut financer que des dépenses d'investissement, à l'exclusion des dépenses de fonctionnement et d'amortissement, lesquelles doivent être financées par l'impôt.

7. Après audition de la Cour des Comptes, le Parlement décide la part des investissements publics locaux qui sera apportée par création monétaire et celle qui sera financée par l'impôt, dans le cadre de l'exercice des compétences de l'Union.

Une proportion similaire de monnaie créée est accordée à chacun des États de l'Eurosystème, à hauteur de son budget national d'investissements prévu dans le cadre de l'exercice de ses compétences. Ce budget doit être présenté au plus tard quatorze jours avant le vote du Parlement.

Enfin, en ce qui nous concerne, nous proposons...

Comme Allais en France, comme Robertson en Angleterre, comme Kennedy en Allemagne, et comme bien d'autres économistes hélas peu écoutés, nous nous fondons sur un principe de base : **c'est la collectivité qui, par son travail et sa production, donne la « valeur » à la monnaie, et non pas quelque décision venant du ciel ou de Francfort. Par conséquent, la monnaie est un bien COLLECTIF et non privé, celui des Français ou des citoyens de la zone euro.** Nous suggérons donc que **toute** la monnaie, sous quelque forme que ce soit, soit émise par une Banque centrale politiquement indépendante, dont le mandat soit non seulement de limiter l'inflation, mais aussi celui de soutenir le financement :

- des entreprises et des ménages avec des taux d'intérêts nominaux limités à l'inflation (taux d'intérêt nul),
- de l'équipement des collectivités publiques, sans intérêt, ce qui signifie que le fonctionnement et les amortissements (usures des biens), continueraient à être supportés par la solidarité nationale, donc par les recettes fiscales.

Les ménages y gagneraient, les entreprises y gagneraient, l'État et le pays y gagneraient. Seules les banques commerciales, qui seraient rémunérées à titre d'intermédiaires par de simples honoraires, et non plus en intérêts, y perdraient.

Par ce moyen les dividendes seraient versés aux États, de sorte que même s'ils ont accepté d'abandonner tout pouvoir régalien sur l'émission monétaire, c'est la collectivité qui recevrait tous les intérêts « de base ». Pour situer les choses, à un taux de 5 % par exemple, c'est près de 400 milliards d'euros d'intérêts qui reviendraient aux populations de la zone euro en 2007.

Quant aux États ils auraient la possibilité de financer leurs équipements auprès de la BCE à taux zéro.

Et si un jour nous avions le pouvoir de présenter une révision constitutionnelle, voici à peu près ce que nous proposerions :

Article 1

Toute création de monnaie, hormis certaines monnaies localement autorisées de type « SEL[1] », doit relever de l'État et de l'État seul par l'intermédiaire de la Banque Centrale.

Les intérêts, dont les taux sont déterminés par la Banque Centrale, sont crédités au compte du Trésor Public.

Article 2

Le Trésor Public est la banque de l'État, système de gestion des comptes de l'État et des administrations.

Il reçoit les recettes et paye les débits de l'État, des collectivités et de l'administration :

- il recouvre les recettes publiques,
- il reçoit les intérêts de la monnaie émise par la Banque Centrale et confiée au système bancaire,
- il contrôle et exécute les dépenses publiques,
- il produit l'information budgétaire et comptable publique,
- il offre des prestations d'expertise et de conseil financier,
- il gère l'épargne et les dépôts de fonds d'intérêt général.

1. Système d'Échange Local.

Article 3

La Banque Centrale est le quatrième pouvoir[1], indépendant du pouvoir politique.

1. Elle est chargée d'émettre la monnaie fiduciaire (pièces et billets) ainsi que la monnaie scripturale et électronique prêtée contre intérêt aux banques de prêts qui en font la demande.

2. Elle émet le crédit à la Nation.

3. Elle détermine et fait appliquer les règles de bonne conduite bancaire aux banques et établissements financiers, suivant la règle que tout financement d'investissement à un terme donné doit être assuré par des emprunts au moins de même terme. Aucun emprunt à long terme ne peut être financé par des emprunts à court terme.

4. Elle surveille l'interdiction, faite aux banques et établissements financiers, de la spéculation sur les changes, les actions, obligations et produits dérivés.

5. Elle veille à la dissociation totale des activités bancaires formant le réseau des banques privées (trois catégories d'établissements distincts et indépendants : les banques de dépôts, les banques de prêts et les banques d'affaires).

Article 4

Le budget de l'État doit être équilibré en fonctionnement et amortissements par la fiscalité, excepté en

---

1. La séparation des pouvoirs est un principe de répartition des différentes fonctions de l'État, qui sont confiées à différentes composantes de ce dernier. On retient le plus souvent la classification de Montesquieu, appelée Trias Politica :

- le pouvoir législatif, confié au parlement ;
- le pouvoir exécutif, confié au gouvernement, à la tête duquel se trouve un chef d'État et/ou de gouvernement ;
- le pouvoir judiciaire, confié au juge.

La Déclaration des droits de l'homme et du citoyen affirme que : « Toute société dans laquelle la garantie des droits n'est pas assurée ni la séparation des pouvoirs déterminée, n'a point de Constitution ».

période de récession économique. L'équipement de l'État et des diverses collectivités publiques fait partie d'un budget séparé financé par émission monétaire.

Article 5

Le réseau des banques privées comporte 3 types de banques :

1. Banques de dépôts : encaissements, paiements, garde de dépôts de leurs clients.

2. Banques de prêts : le montant global des prêts ne peut excéder le montant global des fonds empruntés (épargne préalable ou émission monétaire de la Banque Centrale[1]). Les financements proposés par les banques de prêts doivent être assurés par des emprunts dont le terme est au minimum de même durée.

3. Banques d'affaires : investissent dans les entreprises les fonds empruntés au public ou aux banques de prêts.

Article 6

Aucune banque privée ne peut prendre une dénomination qui pourrait faire penser qu'elle est une émanation du secteur public (dénominations telles que « nationale » ou « publique »).

La crise bancaire actuelle nous conforte dans cette position.

1. Taux de couverture à 100 %.

Le « système « pourrait être schématisé de la façon suivante [1]

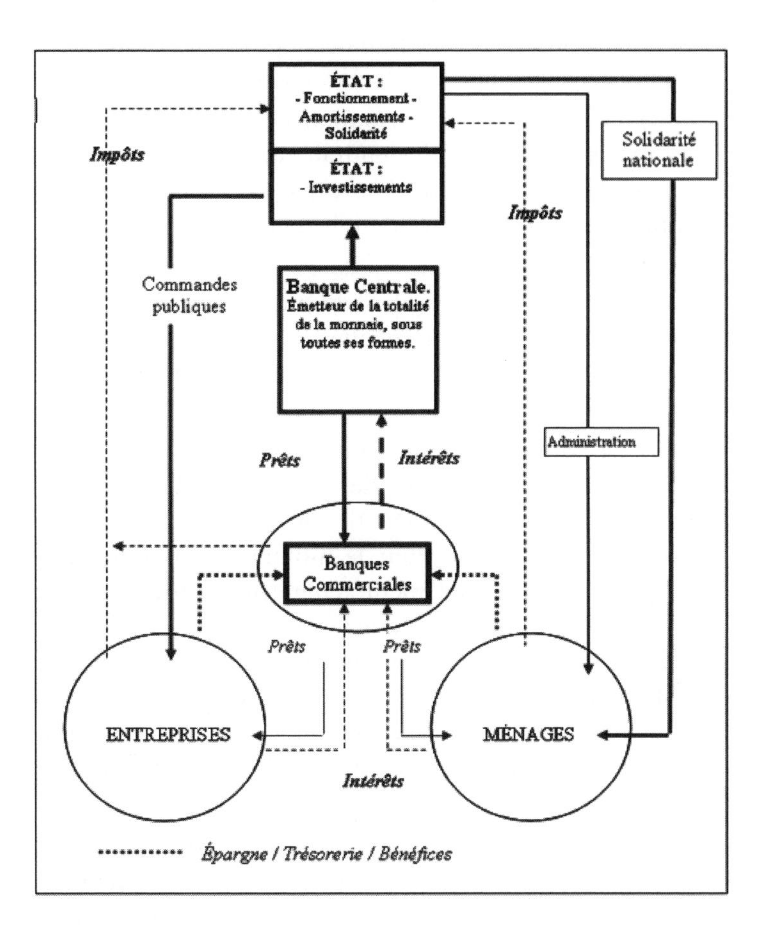

1. Les échanges extérieurs et le commerce n'ont pas été indiqués ici pour ne pas surcharger ce schéma.

Les bienfaits de telles réformes

1) Les impôts et la dette de l'État pourraient être réduits ou les dépenses publiques pourraient être augmentées jusqu'à hauteur de 45 milliards d'euros par an.

2) Le montant des ressources communes, la masse monétaire nationale, deviendrait une source de recettes publiques plutôt que de profits pour le privé, ce qui supprimerait une profonde injustice économique.

3) Le recours à une masse monétaire sans intérêt faciliterait la réduction des niveaux actuels des dettes publiques et privées, lesquelles s'expliquent en partie par le fait que tout l'argent que nous utilisons a été créé sous forme de dette.

4) La Banque centrale serait mieux à même de contrôler l'inflation puisqu'elle déciderait elle-même et créerait directement la quantité de monnaie dont l'économie aurait besoin. Pour le moment, son action est indirecte et paradoxalement génératrice d'inflation. En effet, selon les théories actuelles, l'inflation est le signe d'une trop grosse masse monétaire que la Banque centrale tente de réduire en augmentant son taux directeur pour renchérir le coût du crédit... Mais l'augmentation de coûts générée de cette manière favorise en fait l'inflation.

5) Le climat général serait moins tendu. Actuellement, la majorité de l'argent que nous utilisons est originaire de la dette et les gens doivent produire et vendre davantage pour servir les intérêts de la dette et la rembourser. Ce problème pourrait être évité si l'argent était mis en circulation sans intérêt ou si les intérêts retournaient à la collectivité.

6) Notre pays et l'Europe pourraient devenir les éclaireurs d'une voie nouvelle, capable de répondre à la dimension et à l'urgence des défis très spécifiques de notre temps.

Réponse à l'objection habituelle

De quelle objection parle-t-on ? Dès que l'on suggère de redonner le pouvoir de création monétaire à l'État, se lèvent alors les boucliers comme dans un spasme incontrôlé et les voix s'écrient : « l'Histoire est là pour nous rappeler que permettre aux gouvernements de créer de la monnaie (la « planche à billets ») c'est ouvrir la porte à l'inflation ! ».

On ne peut nier que les gouvernements féodaux et monarchiques du passé et certains gouvernements élus plus récemment, chargés de la création monétaire, ont réveillé des tendances inflationnistes. Mais :

- Un argument de cet ordre est irrecevable au regard de la légitimité. **L'argent est et ne peut être qu'un bien collectif**. Que les autorités publiques à qui la gestion de ce pouvoir a été confiée en aient abusé, c'est une chose, cela ne peut nullement remettre en cause la légitimité du collectif sur ce pouvoir.
- Si l'on peut certes trouver des exemples où l'abus de l'usage de la planche à billets a généré une hyper inflation destructrice, on oublie de mentionner les bienfaits qu'elle a pu dispenser quand son usage fut raisonnable. A-t-on par ailleurs des raisons de se réjouir de la privatisation de ce pouvoir ? L'élite autoproclamée qui en profite, certes, mais globalement aucun système dans l'histoire n'est parvenu à générer à terme des effets aussi pervers et dévastateurs tant sur l'environnement que sur la plus grande partie de la population terrestre.
- Confier directement la responsabilité de toute la création monétaire à une Banque centrale indépendante (un quatrième pouvoir) au lieu de laisser, comme maintenant, les banques commerciales influer indirectement sur le niveau de création monétaire, n'implique en rien le retour de l'inflation d'une part, et ne peut que se traduire par un espoir sérieux

de mieux-être pour tous au lieu de l'impasse suicidaire où nous sommes.

Mais il est une chose que les objecteurs à cette idée refusent de voir et se gardent bien d'ébruiter. En bon élève des théories monétaristes, la Banque centrale européenne, dont l'objectif premier (et quasi unique), rappelons-le, est de maintenir la stabilité des prix, se fixe un objectif d'augmentation de la masse monétaire de 4,5 % par an, censé répondre aux seuls besoins générés par l'augmentation du PIB d'une part pour 2,5 % et de l'inflation d'autre part pour 2 %. Mais en réalité, si vous vous reportez au tableau récapitulatif de la masse monétaire dans la zone euro (p. 34), vous constaterez que, depuis six ans, cette masse augmente de 8 à 10 % par an (M3 : indice 100 au 01/01/01, indice 158 au 31/12/06) soit une augmentation du double de celle prévue. Selon les théories auxquelles la BCE obéit, une telle augmentation aurait dû causer un dérapage inflationniste ce qui n'a pas été le cas[1]. Cela démontre que le lien de causalité entre la masse monétaire et l'inflation à la consommation est plus que théorique, sauf à prendre en considération l'inflation par les actifs qui n'est pas prise en compte dans l'indice de l'INSEE. Ce point est d'ailleurs souligné dans l'éditorial du bulletin de février 2007 de la Banque de France[2] : *« De nombreux observateurs soulignent aujourd'hui l'abondance de la « liquidité » dans le système financier international. [...] Malgré tout, la hausse des prix à la consommation est demeurée globalement maîtrisée et les anticipations d'inflation ancrées à un faible niveau. Seuls les prix des actifs immobiliers et financiers ont augmenté rapidement. Y a-t-il un lien de cause à effet avec*

---

1. Il n'est évidemment pas dans notre intention de nier les inflations existantes quoique sans effet sur les indices officiels du fait de simples différences de packaging ou d'améliorations techniques mineures. L'apparition de l'inflation sur certains biens de consommation, début 2008, n'est pas due à un excès de monnaie mais à de la spéculation et à une tension mondiale : la rareté de l'offre par rapport à la demande, particulièrement de la Chine, commence à se faire sentir de tous côtés.

2. Bulletin de la Banque de France N° 158 – février 2007.

l'expansion de la liquidité ? On ne dispose pas à ce stade d'un cadre complet d'analyse théorique. Néanmoins, de nombreux indicateurs permettent de le penser. »

Le graphique qui suit démontre bien que le rythme d'augmentation de la masse monétaire n'a pas d'effet corrélé sur l'inflation à la consommation.

Taux de croissance de M3 et taux d'inflation dans la zone euro

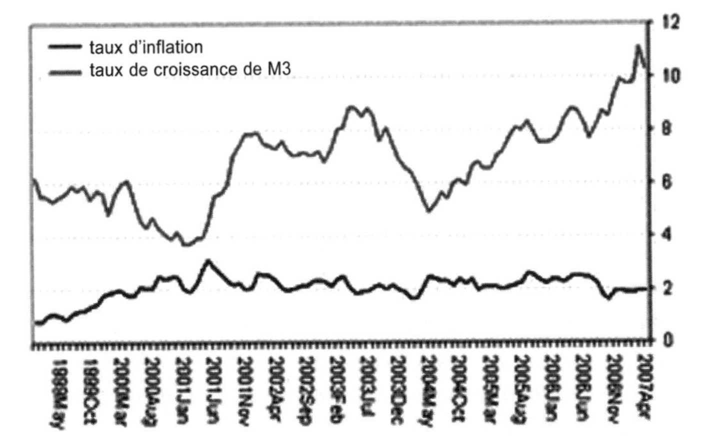

François De Witt, dans un article sur « mieux vivre votre argent[1] » donne un point de vue plus circonstancié et très éclairant sur le phénomène :

« *La masse d'argent en circulation dans le monde ne cesse d'augmenter. D'où les craintes inflationnistes des banques centrales. Pourtant, les prix de détail restent sages. Explications.*

Il se produit depuis quelques années un étrange phénomène : la masse d'argent en circulation dans le monde, plus techniquement appelée masse monétaire, augmente de 20 % par an. Impressionnant. Inquiétant même. La théorie économique veut en effet que lorsque la masse monétaire s'emballe, elle crée tôt ou tard des pressions inflationnistes. Ce qui paraît tout à fait

1. http ://www.mieuxvivre.fr/bourse/articles/chronique.asp ?id=175331, vendredi 13 juillet 2007

normal : un supplément d'argent provoque inévitablement une demande de produits et de services que l'offre n'est pas en mesure de servir autrement qu'en augmentant ses prix. L'inflation est apparue pour la première fois dans le monde lorsque les conquistadores retournèrent d'Amérique de Sud les poches pleines d'or. Ils voulaient et ils pouvaient tout acheter et les prix ont flambé.

Cette crainte hante désormais nos gouverneurs de banques centrales : ils voient partout le spectre de l'inflation et pour le confronter, ils relèvent leurs taux d'intérêt. Or, contre toute attente, le fantôme de l'inflation ne se manifeste pas, puisque les prix à la consommation évoluent de manière très raisonnable, surtout avec une masse monétaire qui galope à la vitesse que l'on sait.

La théorie de la masse monétaire débouchant sur l'inflation serait-elle fausse ? Partout dans le monde, les prix de détail sont désormais soumis à la dure loi de la mondialisation : la concurrence mondiale interdit de relever ses prix comme on le veut. On observe même une baisse continue des prix sur le segment très porteur des nouvelles technologies. Aussi les indices de prix sont-ils relativement sages. Mais alors, où va l'argent qui gonfle la masse monétaire ? Cet argent est pour l'essentiel entre les mains d'une poignée de gens immensément riches – cadres dirigeants, sportifs, artistes, rois du pétrole. Ces gens dépensent, mais pas comme tout le monde. Ils achètent des yachts, des propriétés, des bijoux, des peintures d'art contemporain et des parts de fonds de private equity. La loi de l'offre et de la demande fait flamber les prix de ce qu'ils achètent, qui grimpent autrement plus vite que les prix de détail. Il se crée ce que l'on appelle l'inflation par les actifs. Or, même si elle fait peur, cette inflation-là n'a jamais provoqué l'inflation de base que redoute aujourd'hui M. Trichet. »

Et **Jean-Marie Harribey** pose la question[1] : « *La croissance de M3 se situe actuellement sur une base de 10,9 % par an. Alors que la BCE avait fixé une norme de 4,5 % pour*

1. http ://harribey.blogsudouest.com/2007/08/12/a-quoi-jouent-les-banques-centrales/, publié le 12 août 2007.

tenir compte d'une croissance économique de 2,5 % et d'une inflation tolérée de 2 %. Pourquoi l'augmentation réelle de la masse monétaire dépasse-t-elle autant la norme édictée ? »

Sa réponse est que 69 % de la croissance de la masse monétaire est due à la croissance des actifs financiers constitutifs de M2 – M1 et de M3 – M2.

En alimentant les circuits financiers en liquidité fraîche pour couvrir les besoins du capital financier (restructurations, fusions, LBO, marché immobilier, etc.), les banques centrales, et particulièrement la BCE, ont choisi : pas d'inflation tolérée sur les biens et services, mais la bride sur le cou pour l'inflation sur les actifs financiers, en privilégiant ceux qui sont déjà les plus riches.

Et il ajoute : *« Et alors, dira-t-on, où est le mal ? Là : sur le long terme, la croissance des revenus financiers plus importante que la croissance de la richesse réelle n'est possible que si l'exploitation de la force de travail s'intensifie dans le système productif. Car la sphère financière n'est pas autonome, étant improductive. »*

La création monétaire n'est bénéfique que si elle est une anticipation de l'accroissement de la richesse produite.

L'histoire contemporaine révèle ainsi que l'usage abusif de la planche à billets n'est pas l'apanage des gouvernements et que la sphère privée est loin d'être restée indifférente à ses attraits. Sauf que la masse monétaire ainsi créée, au lieu de profiter à l'ensemble des acteurs de l'économie réelle, s'évade vers les paradis artificiels des plus nantis. **Un des moyens de faire disparaître « cette inflation » (celle des actifs financiers à laquelle il faut rajouter depuis peu celle consécutive à l'augmentation des prix du pétrole, des matières premières et des denrées alimentaires qui, cette fois, pèse sur les prix à la consommation) n'est pas de restreindre la création monétaire dont les « petits » et les entreprises en pâtiront,**

mais de transférer TOUS les intérêts de la création monétaire à la collectivité pour qu'elle puisse bénéficier de cette manne.

Comment rembourser la dette ?

Que cela nous plaise ou non, nous voilà avec une belle dette sur le dos dont il va bien falloir faire quelque chose. Est-il envisageable de s'en débarrasser ? Nous le disons tout net, tant que nous resterons ficelés dans le système actuel, il n'y a pas d'issue satisfaisante :

- ou bien on laisse filer et dans ce cas le poids des intérêts ira croissant, nécessitant pour son paiement un prélèvement de plus en plus lourd sur les recettes fiscales, créant ainsi un transfert progressif de la richesse nationale sur les prêteurs ;
- ou bien on rembourse progressivement le capital, mais pour que cela se traduise par un réel allégement de la dette, il ne faut plus creuser parallèlement le déficit, ce qui est actuellement le cas. Vous constaterez en effet que si d'un côté on affecte certaines recettes au remboursement de la dette, on continue par ailleurs à voter des budgets en déficit, nécessitant de nouveaux emprunts, de sorte que globalement, la dette ne s'arrête pas de grimper. Il faudrait donc et rembourser par tranches annuelles le capital, et continuer à payer les intérêts sur ce qui reste dû, et s'interdire tout déficit, ce qui correspondrait à priver la collectivité d'une bonne centaine de milliards par an si l'on veut éponger la dette en vingt-cinq ans.

D'autre formules existent sans doute, mais comprenons que nous sommes dans un système de vases communicants. Tout ce qui sera affecté à la dette, d'une façon ou d'une autre, sera autant qui sera prélevé sur l'ensemble de la population et qui ne lui sera pas redistribué sous forme de services ou d'infrastructures. Peut-être est-ce le but caché comme nous le disions dans le chapitre relatif aux coulisses et enjeux de la dette, et tout le laisse croire, mais souhaitons que nous soyons dans l'erreur ou qu'un revirement de la pensée dominante, toujours possible, rende d'un coup populaire les théories que nous défendons.

Dans le cadre des propositions que nous avons exposées, il est possible de rembourser l'intégralité de la dette, sans que cela pénalise la société. De nombreuses formules sont possibles mais nous retiendrons ici deux options. Dans les deux cas que nous allons exposer nous avons pris les bases suivantes :

- Nous partons d'une dette publique à rembourser de 1140 milliards d'euros, montant correspondant à ce qu'elle était fin 2006.
- Nous admettons un taux d'intérêt moyen applicable à la dette de 4 % pour les prochaines années. Cela correspond au départ à une charge annuelle de 45 milliards d'euros (1140 x 4 %).
- Nous fixons l'inflation à 2 %.
- Les recettes fiscales restent constantes.
- Le budget prévisionnel de 2007 prévoit un déficit de l'État de 42 milliards d'euros. Si l'on exclut l'idée d'augmenter les recettes (impôts directs et indirects), ce qui induirait un appauvrissement à équivalence de la nation, **reste celle de créer annuellement de quoi rembourser les intérêts, d'une part, et de rembourser du capital d'autre part, afin que le montant total de la dette puisse disparaître.**
- 60 % de la dette sont détenus par des non-résidents, 40 % par des Français. Lorsque l'État rembourse les Français, ceux-ci sont censés payer des impôts sur les revenus générés par le paiement des intérêts. La part des intérêts revenant à ceux-ci est de 18 milliards (45 Mds d'euros x 40 %). Ce sont ces 18

milliards qui seront imposés en France, mais il est difficile de savoir à quel niveau. Estimons qu'un gouvernement à qui le contrôle sur la monnaie aurait été restitué impose ces revenus à 40 % en moyenne (impôts directs plus TVA sur leurs consommations), 7 milliards environ reviendraient alors dans le circuit. En résumé et en arrondissant, nous estimerons qu'il faudrait émettre 35 milliards pour couvrir les seuls intérêts (nets) de première année, soit 3 % du capital dû, chiffre que nous retiendrons pour calculer ce qui reste dû les années suivantes.

- Quant à la part de la dette revenant aux non-résidents, il est évident qu'elle est à rembourser en priorité à échéance puisque les revenus de ces titres ne sont probablement pas imposés en France.

Première option :

Recourir à une création monétaire annuelle qui représente les intérêts nets, c'est-à-dire 3 % de la dette, **plus** un montant constant annuel de 25 milliards d'euros de remboursement de capital.

Le calcul détaillé à l'aide du tableur ci dessous, sur les bases pré citées, laisse apparaître que la dette serait remboursée en vingt-trois ans

A	B	C	D	E	F	G
1	**1140**	34,2	25,0	2 %	1058	**59,2**
2	**1058**	31,7	25,0	2 %	980	**56,7**
3	**980**	29,4	25,0	2 %	906	**54,4**
4	**906**	27,2	25,0	2 %	836	**52,2**
5	**836**	25,1	25,0	2 %	769	**50,1**
6	**769**	23,1	25,0	2 %	706	**48,1**
7	**706**	21,2	25,0	2 %	645	**46,2**
8	**645**	19,4	25,0	2 %	588	**44,4**
9	**588**	17,6	25,0	2 %	534	**42,6**
10	**534**	16,0	25,0	2 %	482	**41,0**
11	**482**	14,5	25,0	2 %	433	**39,5**
12	**433**	13,0	25,0	2 %	386	**38,0**
13	**386**	11,6	25,0	2 %	342	**36,6**
14	**342**	10,3	25,0	2 %	300	**35,3**
15	**300**	9,0	25,0	2 %	260	**34,0**
16	**260**	7,8	25,0	2 %	222	**32,8**
17	**222**	6,7	25,0	2 %	186	**31,7**
18	**186**	5,6	25,0	2 %	151	**30,6**
19	**151**	4,5	25,0	2 %	119	**29,5**
20	**119**	3,6	25,0	2 %	88	**28,6**
21	**88**	2,6	25,0	2 %	59	**27,6**
22	**59**	1,8	25,0	2 %	31	**26,8**
23	31	0,9	25,0	2 %	4	**25,9**

A = Année
B = Dette restant due
C = Intérêts nets
D = Rbt Capital (25 G• annuels)
E = Incidence inflation
F = Solde [B2-C2-D2-(B2*E2)]
G = Création monétaire nécessaire (C + D)

(en milliards d'euros)

Seconde option :

Nous partons ici d'une décision de création de 50 milliards d'euros par an. De même que dans la première suggestion, les intérêts nets représentent 3 % de la dette annuellement, l'inflation est retenue à 2 %, et les recettes fiscales sont constantes. Dans ce cas et comme le tableur ci-dessous l'indique, c'est en dix-neuf ans que la dette pourrait être intégralement remboursée.

A	B	C	D	E	F	G
1	**1140**	34,2	15,8	2 %	1067	**50,0**
2	**1067**	32,0	18,0	2 %	996	**50,0**
3	**996**	29,9	20,1	2 %	926	**50,0**
4	**926**	27,8	22,2	2 %	857	**50,0**
5	**857**	25,7	24,3	2 %	790	**50,0**
6	**790**	23,7	26,3	2 %	724	**50,0**
7	**724**	21,7	28,3	2 %	660	**50,0**
8	**660**	19,8	30,2	2 %	597	**50,0**
9	**597**	17,9	32,1	2 %	535	**50,0**
10	**535**	16,0	34,0	2 %	474	**50,0**
11	**474**	14,2	35,8	2 %	415	**50,0**
12	**415**	12,4	37,6	2 %	356	**50,0**
13	**356**	10,7	39,3	2 %	299	**50,0**
14	**299**	9,0	41,0	2 %	243	**50,0**
15	**243**	7,3	42,7	2 %	188	**50,0**
16	**188**	5,7	44,3	2 %	135	**50,0**
17	**135**	4,0	46,0	2 %	82	**50,0**
18	**82**	2,5	47,5	2 %	30	**50,0**
19	**30**	0,9	29,1	2 %	0	**30,0**

A = Année
B = Dette restant due
C = Intérêts nets
D = Rbt Capital
E = Incidence inflation
F = Solde [B3-C3-D3-(B3*E3)]
G = Création monétaire 50G•

(en milliards d'euros)

Vous noterez deux points importants :

- Le montant de monnaie centrale à créer ne dépasserait pas 60 milliards d'euros. C'est tout à fait supportable compte tenu que la masse monétaire M3 est, pour la France, d'environ 1800 milliards d'euros (1700 milliards + 100 milliards environ en pièces et billets). La création monétaire centrale (et nouvelle) représenterait donc moins de 4 % (3,7 % précisément) de la masse monétaire la première année (pourcentage qui serait décroissant au fil des années suivantes), alors qu'à ce jour la pente de création monétaire depuis 2001 est proche de 10 % par an.

- C'est moins la rapidité avec laquelle on pourrait se désendetter qui est remarquable que le fait de pouvoir le faire sans risque de récession pour l'économie réelle, sans appauvrissement de la population et sans affaiblissement de l'État.

Un pont vers le possible : création d'un espace complémentaire sociétal

Même si vous partagez notre façon de voir et que vous êtes globalement d'accord avec nos propositions, vous vous dites peut-être que nous sommes en train de rêver, car l'économie est maintenant mondialisée et vouloir convaincre une Europe embarquée sur la vague ultra libérale relève des travaux d'Hercule. Rien ne nous semble impossible mais nous avons effectivement pensé à cela. Nous avons donc conçu un projet qui ne dépendrait que de la France au départ. Projet qui certes nous mettrait probablement en dissidence temporaire avec l'Europe, mais qui pourrait tellement séduire les citoyens européens qu'en fin de compte les institutions européennes seraient amenées à céder. Nous voulons miser sur la valeur d'exemple qu'une réalisation de ce genre, dans notre pays, pourrait avoir sur le reste du monde. Ne voyez donc à aucun moment le désir de nous replier frileusement derrière nos frontières. Nous ne visons pas à créer un décalage par rapport aux autres pays de l'Union européenne et du monde pour en tirer un avantage concurrentiel quelconque. Nous souhaitons que les autres nations, à commencer par celles qui composent l'Union européenne, s'engouffrent dans la voie ainsi tracée, ce qui permettrait d'après nous de répondre de façon appropriée, efficace et rapide, aux grands enjeux de notre temps.

L'obstacle majeur que rencontre toute réforme dans notre monde actuel, c'est que sa mise œuvre nuit toujours à certains intérêts en place. Le projet dont il est question ici ne fragilise personne. C'est un trait d'union, une démarche de réconciliation, un pacte fondé sur la reconnaissance de ce qui est, dans le respect de toutes les sensibilités. Il ne s'agit pas de remplacer le système par un autre. Concrètement, cela se traduit par l'introduction d'un espace économique nouveau (COMPLÉMENTAIRE au système économique existant) que nous appelons « ECS » (Espace Complémentaire Sociétal). Son originalité ? **Sa vocation n'est pas la recherche de l'équilibre ou du profit financier mais celle du « bénéfice sociétal » : résoudre, indifféremment de leur coût financier, les problèmes humains et écologiques que la seule logique capitaliste libérale est incapable de traiter par la nature même du droit des entreprises et des systèmes comptables, et orienter les modes de production et de vie vers un modèle soutenable au niveau planétaire.**

Cet « espace » a vocation prioritaire de créer des activités qui n'existent pas encore, en particulier les services qui font cruellement défaut pour permettre à tous une vie digne sur une planète respectée. Le champ est donc immense, ouvert à l'expression des besoins que révèlera une enquête nationale, et qui susciteront des vocations chez beaucoup de personnes qui aujourd'hui cherchent un travail à reculons, ne se reconnaissant pas dans la logique du système actuel ; sans parler de celles qui ont déjà un projet sociétal mais qu'elles ne peuvent mettre en œuvre parce qu'il n'est pas « rentable ».

Ce projet a déjà fait l'objet d'une lettre ouverte envoyée au président Nicolas Sarkozy ainsi qu'à tous les députés, sénateurs et ministres. Personne à ce jour n'a jugé bon de nous répondre, ce qui ne nous étonne pas. Nous ne baissons pas les bras pour autant. Nous savons que toute idée nouvelle doit faire son chemin et se heurter dans les premiers temps à une résistance farouche de l'establishment. À nous, les citoyens, de lui donner une énergie supérieure à la résistance...

Voici donc le projet, rapidement esquissé et résumé en 18 points, d'une structure nommée « Entreprise à Mandat Sociétal[1] », intégrée dans un « Espace Complémentaire Sociétal »

1. Les objectifs prioritaires sont :

- Proposer un emploi épanouissant et bien rémunéré à tous ceux qui veulent travailler dans ce secteur.
- Favoriser tout ce qui permet de diminuer dès maintenant la pollution domestique, industrielle et agricole, de limiter l'utilisation de la matière dans la production (recyclage, matériaux nouveaux à meilleures performances à base de ressources renouvelables).
- Identifier et lister l'ensemble des points qui posent un problème écologique et humain présent ou probable dans l'avenir, dans notre mode de vie, et mettre en regard les solutions possibles, porteuses d'amélioration de qualité de vie, indifféremment de leurs coûts comptables ou financiers.

1. Vous trouverez une version développée sur http ://tiki.societal.org/, choix « EMS ».

Les activités découlant de ces objectifs entrent dans le cadre d'un nouvel espace économique, dit sociétal, c'est-à-dire entièrement dédié à la résolution des problèmes humains et écologiques qui se posent.

2. Les Entreprises à Mandat Sociétal (EMS) ne répondent pas à la logique de profit financier mais à celle du bénéfice sociétal. Elles sont régies par un statut juridique spécifique inspiré de la société coopérative.

3. Les EMS n'ont pas de capital ; les investissements nécessaires à leur activité sont financés par une émission monétaire nationale en « Unités Monétaires Sociétales (UMS) », monnaie créée par l'État au niveau des besoins. Elle est : permanente (ce n'est pas une monnaie de crédit), électronique, nominative, gratuite (elle ne peut produire d'intérêts), non spéculative, non convertible en devises étrangères mais a cours légal et forcé (toute personne, physique ou morale, sur le territoire national, doit les accepter en paiement. 1 UMS = 1 euro). Nous aurions donc deux monnaies en circulation, une devise marchande, l'euro, et une monnaie sociétale, l'UMS.

4. Au départ, la masse monétaire en « Unités Monétaires Sociétales » à mettre en circulation est déterminée par l'estimation des besoins que révèlera l'enquête nationale préalable. L'État, par le biais du Trésor Public, émet des bons du trésor spéciaux en UMS, sans intérêt ni échéance, qu'il vend à la Banque de France. Cette dernière ouvre un compte en « Unités Monétaires Sociétales » du même montant, à partir duquel les banques peuvent s'approvisionner selon les besoins dont elles ont connaissance, grâce aux prévisions qui leur ont été données, tant en capital qu'en exploitation. Par la suite, c'est l'équilibre entre la masse monétaire et la valeur de la richesse réelle créée par l'activité sociétale qui déterminera s'il est nécessaire d'injecter plus de monnaie ou d'en retirer.

5. Les émissions d'Unités Monétaires Sociétales ont lieu à l'occasion :

- de la constitution, de l'entretien et du renouvellement du capital des EMS,
- du paiement des frais généraux et salaires sociétaux des EMS non rémunérées (celles dont l'activité est offerte gracieusement aux usagers),
- du paiement de la part des frais généraux et salaires sociétaux non couverts par les recettes des EMS partiellement rémunérées (celles dont l'activité est partiellement facturée aux usagers),
- de la couverture des déficits annuels d'exploitation des EMS lorsque la poursuite de leur activité est décidée en raison de leur valeur sociétale.

6. Les Unités Monétaires Sociétales ainsi créées se retrouvent au crédit des comptes des entreprises (EMS + fournisseurs des EMS du secteur marchand traditionnel) et au crédit des comptes courants des particuliers (salariés des EMS, mais aussi salariés des entreprises traditionnelles qui, ayant des recettes en Unités Monétaires Sociétales, les utilisent pour leurs dépenses). C'est ainsi que les Unités Monétaires Sociétales circulent dans l'ensemble de la société en plus et à côté de l'euro.

7. L'excès d'Unités Monétaires Sociétales est régulé par une « Contribution à l'Équilibre Monétaire » (CEM), qui fonctionne comme une « taxe à la consommation » sur les productions et services sociétaux. Elle est adaptable éventuellement suivant une « note sociétale » attribuée aux produits et services. Elle est instituée afin d'équilibrer le plus finement possible la masse monétaire en Unités Monétaires Sociétales.

8. Les critères définissant ce qui rend une activité « sociétale » sont déterminés démocratiquement par la Nation. Le statut d'EMS peut être attribué, par une procédure d'agrément, tant à un travailleur indépendant qu'à une organisation de plusieurs personnes réparties dans plusieurs établissements.

9. L'EMS commence son activité en constituant le « capital » nécessaire à cette activité (terrains, locaux, matériel, etc.). Elle n'a pas besoin d'argent pour ce faire. Elle choisit un organisme bancaire parmi les banques commerciales existantes, et lui remet une copie du dossier d'agrémentation qui comporte une estimation chiffrée qui lui servira de référence pour « commander » les fonds nécessaires à la Banque de France et régler directement les fournisseurs au fur et à mesure de l'avancement des travaux.

10. Une EMS est évaluée par rapport à ses objectifs sociétaux et non ses résultats financiers. C'est pourquoi la procédure d'agrémentation précise entre autres les éléments du « bilan d'activité » qui permettront de déterminer à la fin de la première année la position de l'EMS par rapport aux objectifs prévus. Par la suite, l'EMS présente un bilan prévisionnel en complément du bilan d'activité de l'exercice achevé, pour fixer les objectifs d'évaluation de l'exercice à venir. Les bilans sont constitués par un compte d'exploitation contrôlé par un cabinet comptable, servant principalement à aider la gestion bancaire et le contrôle des flux monétaires, et un rapport qualitatif d'activité sociétale reprenant les éléments d'appréciation qualitatifs dans la forme et selon les modalités prévues. Les éléments qualitatifs sont appréciés par sondage auprès des bénéficiaires de l'activité de l'EMS.

11. La rémunération des personnes travaillant sous le statut d'EMS est en Unités Monétaires Sociétales. Le salaire varie à l'intérieur d'une fourchette de 1 à 3.

12. Les personnes physiques et morales sous statut d'EMS bénéficient d'exemptions fiscales et de prestations sociales visant à leur offrir un contexte sécurisant leur permettant de focaliser toute leur attention sur leur mission au lieu de chercher à se constituer une épargne/patrimoine pour se mettre à l'abri des aléas de la vie. Ces avantages n'occasionnent aucune charge supplémentaire puisqu'ils sont financés par création d'Unités Monétaires Sociétales

13. Lorsque les entreprises qui ne sont pas sous statut d'EMS sont réglées en Unités Monétaires Sociétales, en tout ou partie d'un achat, elles traitent ce règlement comme s'il avait été réglé en devises.

14. C'est le système bancaire actuellement en place qui est mandaté par l'État pour gérer les comptes en Unités Monétaires Sociétales. Pour l'exécution de ce mandat, les banques facturent des honoraires au Trésor Public selon un barème national.

15. Les EMS et leurs salariés se fournissent en priorité auprès d'autres EMS mais quand elles ont recours au secteur marchand, elles règlent leurs achats en Unités Monétaires Sociétales.

16. Les entreprises, tant du secteur sociétal que du secteur marchand traditionnel, peuvent régler indifféremment en euros ou en Unités Monétaires Sociétales l'ensemble de leurs dépenses, (salaires, fournisseurs, impôts et taxes...).

17. Certaines entreprises, très dépendantes d'approvisionnements à l'importation, peuvent se retrouver périodiquement avec une proportion d'Unités Monétaires Sociétales trop importante, puisque l'UMS n'est pas une devise. Sur justification, elles demandent alors au Trésor Public la conversion en euros des UMS « en trop ». De même, les personnes dont les revenus sont uniquement en UMS, peuvent demander au Trésor public la conversion d'une partie de leurs UMS en euros, pour un déplacement ou un achat en dehors des frontières nationales.

18. Dans les premières années, le temps que ce nouveau secteur se développe et s'organise, la fiscalité générale continuera à s'appliquer au secteur traditionnel. Il conviendra ensuite de revoir globalement la philosophie fiscale en fonction du nouveau paysage socio-économique qui se dessinera.

En conclusion

Trop simple ! Si c'était réalisable ça aurait déjà été fait. Ne croyez pas cela, ce n'est pas la mise en œuvre d'un projet de ce genre qui est difficile, c'est son concept même qui est aujourd'hui refusé par le cerveau humain, en particulier chez ceux qui tirent un avantage personnel du système élitiste en place. Car nous ne sommes là qu'en train de réinventer le fil à couper le beurre. Jusqu'en 73, nous l'avons dit, nos États pouvaient créer leur monnaie et si nous avions conservé cette faculté, la question de la dette ne se poserait pas et nous ne serions pas en train de nous casser la tête à tâcher de résoudre un faux problème. Nous ne sommes pas dans l'énoncé d'une utopie fumeuse ! Nous sommes en train d'imaginer comment retrouver une réalité qui était la nôtre il y a peu de temps encore.

Maintenant comprenez bien que le projet que nous venons de vous exposer n'est pas une fin en soi. L'objectif à terme n'est pas d'avoir deux monnaies en circulation avec deux mondes économiques à vocation différente. Ce projet n'est que la marche qui pourrait aider à sortir rapidement de l'impasse où nous sommes et conduire, dans un deuxième temps, à une réunification de l'humanité dans un concept de mondialisation fondée sur la coopération et la solidarité au lieu de la conquête des marchés par les marchands. Mais pour y parvenir nous devons donner le temps à tous de le désirer profondément et donc de ne pas s'opposer à ceux qui croient encore dans les vertus de la compétition et de l'entreprise conquérante. **Oui, c'est simple ! La seule mise en œuvre de cet espace économique complémentaire permettrait, sans opposer les intérêts des uns et des autres, sans aller prendre dans la poche des uns pour payer les autres, de résoudre en quelques années seulement tous les problèmes majeurs auxquels se heurte l'humanité. Certains services publics, à ce jour financés par l'impôt, pourraient entrer dans ce nouvel espace. Leur financement se ferait alors en UMS, ce qui permettrait d'affecter au remboursement de la dette les économies ainsi réalisées en euros, sans que quiconque ait à en souffrir.**

Ce qui nous sidère en réalité, c'est de voir combien l'homme butte sur un problème imaginaire, celui qu'il crée lui-même en rendant artificiellement rare un argent qui n'a plus aucune limite. Cette rareté n'est en fin de compte que le reflet de la « pauvreté de conscience » qui pour le moment enferme l'homme dans une logique de « sauve qui peut », de gestes désordonnés et inappropriés qui, au lieu de le sauver, l'entraînent vers le fond.

Comme le dit justement James Robertson, « *il ne sera possible de surmonter l'obstacle de l'opposition du monde puissant de la banque et de la finance et leur menace d'une déstabilisation économique que lorsque l'argumentation en faveur de la réforme monétaire sera mieux comprise par le grand public ; lorsque l'opposition qu'elle soulève sera davantage perçue comme la simple défense des privilèges du secteur privé et lorsque ses opposants accepteront que le refus de cette réforme risque de leur faire perdre beaucoup plus que la subvention actuelle dont ils bénéficient. Un soutien et des campagnes seront nécessaires pour y parvenir, tant à l'échelle nationale qu'internationale.* »

Que ce soit sur ce dernier projet ou que ce soit plus globalement sur les propositions faites dans ce chapitre, une chose est certaine : des solutions sont là, à portée de main. Certes l'establishment fait manifestement tout pour que les mécanismes qui nous régissent actuellement ne soient pas connus, car le pouvoir et les privilèges dont il jouit dépendent de leur maintien. À nous, les citoyens, de savoir ce que nous voulons pour nous et nos enfants et de faire abondamment circuler l'information tenue secrète pour qu'elle habite le débat public et submerge les résistances qui, n'en doutons pas, seront grandes. Mais rien, à aucune époque dans l'histoire, n'a jamais pu résister à la volonté des peuples ; demain nos élus voteront la reprise de la création monétaire[1], parce que nous l'aurons voulue, parce que nous aurons fait pression sur eux.

Et la dette ne sera plus qu'un mauvais souvenir...

1. Pétition sur [http ://liberonslamonnaie.blogspot.com/2007/11/pour-une-loi-donnant-aux-États-le.html], pour une loi donnant aux États le contrôle d'une monnaie publique sans intérêts.

Annexe 1.

Ils ont dit...

On trouve, sur le site de Janpier Dutrieux (« Fragments Diffusion »[1]), ces citations extraordinaires, à méditer et à diffuser largement. Il faut aussi se demander pourquoi nos grands argentiers ne réfléchissent pas à ces questions !

David Ricardo, *Des principes de l'économie politique et de l'impôt*, 1817 : *« Dans le cas de la création monétaire, l'avantage serait toujours pour ceux qui émettraient la monnaie de crédit ; et comme le gouvernement représente la nation, la nation aurait épargné l'impôt, si elle, et non la banque, avait fait elle-même l'émission de cette monnaie... Le public aurait un intérêt direct à ce que ce fût l'État, et non une compagnie de marchands ou de banquiers, qui fit cette émission. »*

Abraham Lincoln : *« La puissance d'argent fait sa proie de la nation en temps de paix et conspire contre elle en temps d'adversité. Elle est plus despotique que la monarchie, plus insolente que l'autocratie, plus égoïste que la bureaucratie. (...) Les groupes financiers et industriels sont devenus tout puissants, il s'ensuivra une ère de corruption aux postes élevés et la puissance d'argent du pays cherchera à prolonger son règne en utili-*

1. http ://fragments-diffusion.chez-alice.fr/

sant les préjugés du peuple jusqu'à ce que la fortune soit concentrée en un petit nombre de mains et la république détruite. »

Clément Juglar, *Les crises commerciales* : *« Qu'est-ce que le crédit, sinon le simple pouvoir d'acheter en échange d'une promesse de payer ? La fonction d'une banque ou d'un banquier est d'acheter des dettes avec des promesses à payer... La pratique seule du crédit amène ainsi par l'abus qu'on est porté à en faire, aux crises commerciales... Le crédit est le principal moteur, il donne l'impulsion ; c'est lui qui, par la signature d'un simple effet de commerce, d'une lettre de change, donne une puissance d'achat qui paraît illimitée. »*

Irving Fisher, *100 % money* : *« Le fait de faire revivre maintenant l'ancien système de couverture intégrale des dépôts (...) empêcherait effectivement l'inflation et la déflation suscitées par notre système actuel, c'est-à-dire stopperait effectivement la création et la destruction irresponsables de monnaie par nos milliers de banques commerciales qui agissent aujourd'hui comme autant d'instituts privés d'émission (...) L'essence du plan 100 % monnaie est de rendre la monnaie indépendante des prêts, c'est-à-dire de séparer le processus de création et de destruction de monnaie du prêt aux affaires. »*

Maurice Allais, Prix Nobel d'économie 1988, *La réforme monétaire*, 1976 : *« Le jugement éthique porté sur le mécanisme du crédit bancaire s'est profondément modifié au cours des siècles. (...) À l'origine, le principe du crédit reposait sur une couverture intégrale des dépôts. (...) Ce n'est que vers le XVIIe siècle, avec l'apparition des billets de banque, que les banques abandonnèrent progressivement ce principe. Mais ce fut dans le plus grand secret et à l'insu du public » [...] « En abandonnant au secteur bancaire le droit de créer de la monnaie, l'État s'est privé en moyenne d'un pouvoir d'achat annuel représentant environ 5,2 % du revenu national. »*

Jean-Marcel Jeanneney, Fondateur de l'OFCE, *Écoute la France qui gronde*, 1995 : « *Je prétends que, dans la conjoncture actuelle, à condition d'entourer l'opération de garde-fous, l'émission de monnaie ex nihilo par la Banque de France, sans qu'existe aucune créance en contrepartie, est indispensable pour sortir notre économie de son anémie. (...) Il s'agirait de fournir aux ménages un pouvoir d'achat supplémentaire, qui n'alourdisse en rien les coûts de production. (...) Cette monnaie ne pourrait être remise au Trésor, ce que les accords européens interdisent. (...) C'est donc directement aux habitants du territoire français que la monnaie créée devra aller. (...) Le mot capitation désignant un impôt uniforme prélevé par tête d'habitant, l'allocation versée serait une capitation inversée. (...) 1000 ou 2000 frs seraient versés à toute personne résidente, quel que soient son âge et ses revenus. La Banque (centrale) réserverait le droit de renouveler ou non l'opération si la conjoncture le demande.* »

Jacques Méraud, Fondateur du CERC, *Le Monde* du 5/08/1997 et du 02/09/97 : « *On pourrait avoir une productivité plus grande des secteurs tertiaires, et générer en aval du pouvoir d'achat, si l'on avait plus de demande en amont. Mais ladite demande suppose déjà du pouvoir d'achat. Il faut donc qu'intervienne une demande exogène pour que reprenne la croissance, et que (...) lorsqu'une injection de monnaie de la Banque centrale paraît opportune au Conseil de la Politique Monétaire, que les modalités en soient étudiées entre ce dernier et le Gouvernement, étant entendu qu'elles pourraient viser à stimuler la demande privée aussi bien que la demande publique.* »

Maurice Allais, Nobel d'Économie 1988, *L'impôt sur le capital et la réforme monétaire*, 1976 : « *Il est aujourd'hui pour le moins paradoxal de constater que lorsque, pendant des siècles, l'Ancien Régime avait préservé jalousement le droit de l'État de battre monnaie et le privilège exclusif d'en garder le bénéfice, la République démocratique a abandonné pour une grande part ce droit et ce privilège à des intérêts privés.* »

Josiah Stamp, Gouverneur de la Banque d'Angleterre, 1920 : *« Si vous désirez être les esclaves des banques, et payer pour financer votre propre esclavage, alors laissez les banques créer l'argent. »*

Rothschild frères (en 1865, dans une lettre envoyée par un banquier londonien à ses confrères de Wall Street à New York) : *« Messieurs, un certain M. John Sherman nous a écrit qu'il n'y a jamais eu autant de chance pour les capitalistes d'accumuler de la monnaie que par « un décret promulgué », selon le plan formulé par l'Association Britannique des Banquiers. Il donne presque tous pouvoirs à la banque nationale sur les finances de la nation. (...) si ce plan prenait force de loi, il en découlerait de grands profits pour la fraternité des banquiers dans le monde entier.(...) M. Sherman dit que les quelques personnes qui comprennent ce système ou bien seront intéressées à ses profits ou bien dépendront tellement de ses faveurs qu'il n'y aura pas d'opposition de la part de cette classe, alors que la grande masse du peuple, intellectuellement incapable de comprendre les formidables avantages que tire le capital du système, portera son fardeau sans complainte et peut-être sans s'imaginer que le système est contraire à ses intérêts. »*

Thomas Jefferson (1743-1826) : *« Celui qui contrôle l'argent de la nation contrôle la nation. »*

« *Je crois que les institutions bancaires sont plus dangereuses pour nos libertés qu'une armée debout.* »

Mayer Amshel Rothschild (1743-1812) : *« Donnez-moi le contrôle sur la monnaie d'une nation, et je n'aurai pas à me soucier de ceux qui font ses lois. »*

Joseph E. Stiglitz, *Quand le capitalisme perd la tête*, 2003 : « *Nous avons besoin de nouvelles règles publiques, indépendantes. Le néolibéralisme apparaît comme un système économiquement malsain. Il génère de la pauvreté. Il est dogmatique et injuste. Il menace la démocratie. C'est un mauvais modèle économique.* »

Souvenons-nous : aux USA, en 1861, l'État reprit le contrôle de l'émission et de la circulation d'une monnaie sans intérêts. La production agricole et industrielle redémarra, le chômage disparut. En 1865, après l'assassinat du président Lincoln[1], les banques privées imposèrent de nouveau une monnaie avec intérêts. En dix ans, le pouvoir d'achat chutant de moitié, il y eut 55 000 faillites avec tout un cortège de chômage et de misère. Logique, car les banquiers, avec les intérêts, prenaient la moitié de l'argent que les gens gagnaient en travaillant[2].

---

1. Sans que la relation de cause à effet puisse être prouvée, on doit remarquer que trois présidents des États-Unis furent assassinés après avoir remis en question la création monétaire privée : James Madison, Abraham Lincoln et John F. Kennedy qui aurait (nous n'avons pu vérifier sérieusement cette information), le 4 juin 1963 soit cinq mois avant son assassinat, signé le décret présidentiel N° 11110 redonnant au gouvernement U.S. le pouvoir d'émettre de la monnaie.

2. http ://www.solidariteetprogres.org/spip/article-imprim.php3 ?id_article=3576 « Le véritable système américain d'économie politique contre le libre-échange » – 4 décembre 2007 – par Pierre Bonnefoy.

Annexe 2.

Sur le blog d'Étienne Chouard

Le mardi 1 mai 2007 Etienne Chouard, qui a bien voulu préfacer ce livre, écrivait sur son blog[1] :

« Je suis en train de découvrir le détail d'une situation financière incroyable.

Vous croyez que la monnaie est créée par l'État ? Vous vous trompez : **ce sont les banques privées qui créent la monnaie**, et qui en perçoivent le prix (l'intérêt).

Si c'était l'État qui créait la monnaie, il pourrait l'investir directement lui-même (sans devoir payer le moindre intérêt jusqu'au remboursement) ; il pourrait aussi prêter cette monnaie nouvelle aux banques (charge à elles de la prêter à leur tour) et en percevait le premier intérêt (des milliards d'euros), ce qui pourrait aussi financer les services publics, au lieu de garnir des poches de soie au prix d'un déficit paralysant pour l'État.

L'État (c'est-à-dire nous tous) a perdu le droit de battre monnaie et ce sont des banques privées à qui nos soi-disant « représentants » ont abandonné ce pouvoir décisif.

1. http://etienne.chouard.free.fr/Europe/forum/index.php?2007/05/01/72-non-ce-n-est-pas-trop-cher-le-financement-des-besoins-collectifs-est-rendu-sciemment-ruineux -

Vous pensez que la monnaie est un outil qui sert l'intérêt général ? Vous vous trompez : la monnaie est devenue (discrètement) un outil qui sert d'abord des intérêts privés.

La construction de l'Union européenne pourrait bien être motivée principalement par ce détournement de la richesse publique, notamment à travers à l'article 104 du traité de Maastricht : « *Il est interdit à la BCE et aux banques centrales des États membres, ci-après dénommées "banques centrales nationales" d'accorder des découverts ou tout autre type de crédit aux institutions ou organes de la Communauté, aux administrations centrales, aux autorités régionales ou locales, aux autres autorités publiques, aux autres organismes ou entreprises publiques des États membres; l'acquisition directe des instruments de leur dette, auprès d'eux, par la BCE ou les banques centrales nationales, est également interdite.* »

Par cet article (repris quasiment tel quel dans le TCE, art. III-181 rejeté en 2005 par référendum[1]), les États (c'est-à-dire nous tous) ne peuvent plus financer les investissements publics qu'en empruntant à des acteurs privés, et en leur payant un intérêt.

Et il ajoutait

« Cette prise de conscience m'a conduit à écrire un billet à Judith Bernard, sur le Big Bang Blog[2], qui s'inquiétait du sort des services publics et de leur financement prétendument problématique (d'après nos représentants politiques). [...] Avec le contrôle de l'argent, on est au cœur du problème des hommes avec le pouvoir : ça vaut le coup de lire pour comprendre. Les citoyens sont fous de ne pas approfondir personnellement cette cause majeure de leur travail forcé. »

1. Ainsi que dans le Traité de Lisbonne (le "mini traité") s'il est adopté, dans lequel cet article 104 devient l'article 123.

2. http://www.bigbangblog.net/article.php3?id_article=604

Voici quelques extraits de ce billet sur Big Bang Blog :

« D'abord, merci pour tout ; d'ordinaire silencieux, je savoure vos textes, forts et beaux, dans mon coin, comme on goûte du lait au miel.

Ceux qui vous maltraitent cette fois, en faisant comme si vous étiez à la fois utopique et irresponsable à tant apprécier la dépense publique sans vous soucier des financements, ceux-là se trompent : **nous n'aurions aucune peine à financer TOUS les investissements utiles à notre collectivité si nous avions le contrôle de notre monnaie, au lieu de l'avoir – c'est proprement incroyable – abandonné aux banques privées.**

Ceux qui vous vilipendent font comme si la monnaie était forcément rare. Ils vous enferment ainsi dans une économie de rareté. Mais cette rareté est artificielle, elle est voulue, elle est fabriquée, et elle est la source de la richesse immense de certains acteurs qui savent rester discrets.

Bien sûr, si la monnaie est rare, elle est chère et son prix s'ajoute aux prix de toutes choses ; les échanges sont pénalisés par le coût des crédits. [...]

Or il se trouve – vous n'allez pas me croire – que les États ont abandonné la création monétaire aux banquiers privés. Les États (c'est-à-dire nous) ne peuvent plus créer la monnaie dont ils ont besoin pour fluidifier l'économie. **Quand l'État (c'est-à-dire nous) a besoin d'argent (pour construire des hôpitaux ou des crèches), il doit aujourd'hui emprunter cet argent aux acteurs privés et leur payer un intérêt, au lieu de créer lui-même l'argent dont il a besoin.** C'est idiot. Non, c'est criminel. En tout cas, ce n'est pas une fatalité : c'est un choix politique et un choix qui n'a rien à voir avec l'intérêt général.

Quand une banque vous prête 100 000 euros, elle ne les a pas nécessairement. Elle peut les créer (par une simple écriture) pour vous les prêter, et elle les détruira quand vous lui rendrez. Mais au passage, elle aura perçu un intérêt (considérable) qui ne correspond à aucun service, aucune privation de sa part : l'intérêt que perçoivent les banques privées sur la monnaie qu'elles ont le droit de créer est foncièrement injuste, une sorte de paiement de l'indu, un racket gigantesque de toute l'économie par des acteurs privilégiés.

Quelle est la raison de ce sabordage monétaire qui asphyxie notre économie ? Une volonté politique. Un phénomène réversible, donc. Il ne tient qu'à nous de récupérer notre souveraineté monétaire.

Tous les citoyens devraient prendre quelques heures pour étudier l'histoire du racket financier imposé par les banques (en France, en Europe, aux États-Unis) : ils comprendraient les solutions qui s'imposent, à la fois simples et fortes ; **la création monétaire doit impérativement et exclusivement relever de la puissance publique.**

Ne croyez pas les épouvantails et autres chiffons rouges qu'on va agiter devant vos yeux pour vous persuader que l'État créateur de monnaie est forcément imbécile : de bons contrôles sont évidemment imaginables pour que la création publique de monnaie soit raisonnable. **Ce qu'on appelle la "planche à billets" n'est pas forcément une catastrophe, bien au contraire, c'est le sens de mon message : c'est l'abus de la planche à billets qui est une catastrophe, OK ; mais son utilisation raisonnable est non seulement utile, mais indispensable pour un bon fonctionnement de l'économie**. Ceux qui prétendent le contraire ont souvent une idée derrière la tête et pas seulement l'intérêt général en ligne de mire.

D'ailleurs, **la masse monétaire augmente d'environ 10 % tous les ans sans déclencher d'inflation, ce qui est bien la preuve que ce spectre de la planche à billets n'est qu'un épouvantail (bien commode pour nous conduire à accepter que l'État soit dépouillé de ce droit essentiel).**

Par contre, les banques privées devenues créatrices (et vendeuses) de notre monnaie (ces banques à qui on a abandonné la "planche à billets", précisément) sont, effectivement, de véritables parasites, à très grande échelle. **Rien n'impose, économiquement, que ce soit des acteurs privés qui maîtrisent la création monétaire, au contraire**.

Nous sommes fous d'accepter de perdre ce levier vital des politiques publiques, aussi bien en France qu'en Europe.

Les soi-disant "libéraux" font tout pour ruiner les États, ce qui offrira plusieurs avantages aux acteurs privés déjà très riches : une fois ruiné, l'État ne pourra plus assumer que les fonctions sécuritaires (armée, police, justice), bien utiles aux très riches (ces fonctions étatiques-là, ils y tiennent, curieusement). Une fois ruiné, l'État vendra les services publics aux copains privés des prétendus "hommes d'État" complaisants. Je vous laisse imaginer les yeux cupides avec lesquels les compagnies d'assurance lorgnent le marché du financement de la santé publique, pour s'en tenir à votre exemple. Les "libéraux" vont leur vendre tous nos plus précieux services publics.

[...]

Si on ne se paie pas de mots en ne lisant, dans les institutions, que les préambules et les généreuses déclarations d'intention liminaires, si on va lire tous les articles en détail pour contrôler que la séparation des pouvoirs existe bien, vérifier si le contrôle des pouvoirs est effectif, surveiller l'indépendance des juges qui doit être réelle, s'assurer que l'information honnête des citoyens soit protégée et garantie, prendre garde à ce que des moyens soient offerts aux citoyens pour résister vraiment à d'éventuels abus de pouvoir, si on contrôle tout ça, Judith, et bien c'est une catastrophe : ils sont en train de nous piquer la démocratie. Et en jurant le contraire !

[...]

Mais le cœur de l'impuissance politique grandissante des hommes est encore plus difficile à percevoir : comme je vous le disais, **la grande absente de nos débats publics est la monnaie. Pourtant, nous pourrions satisfaire bien des besoins vitaux en reprenant son contrôle**[1].

Il tient aux journalistes et aux citoyens "donneurs d'alerte" de faire monter le sujet sur la place publique

[...]

Toute somme dépensée par l'État se retrouve dans ses caisses au bout de quatre ou cinq ans d'impôts[2] (ce qui montre la bêtise des politiques frileuses réclamant un État pingre) et que cet investissement a été multiplié (on parle d'ailleurs de multiplicateur d'investissement) et a répandu ses bienfaits dans des proportions immenses.

Les difficultés financières de l'État ne viennent pas du tout de son incurie, mais de sa pauvreté artificiellement programmée à travers un système bancaire inique, un privilège de type féodal discrètement consenti aux banques privées – le droit de créer la monnaie et de prélever un intérêt sur cette monnaie neuve, et l'obligation pour l'État de s'endetter auprès des acteurs privés pour financer les besoins publics – système bancaire qui met le pays en coupe réglée, sans aucun espoir de jamais rembourser une dette sans fin puisque la création monétaire est rançonnée.

Nous sommes victimes d'un sabordage monétaire de la part de nos propres "représentants" et **la construction européenne permet de verrouiller ce sabor-**

---

1. Le bénéfice issu de la création monétaire est appelé « droit de seigneuriage » et il correspondait à un droit régalien.

2. Sous une réserve relative à l'absence d'exportation monétaire. Voir la démonstration dans *Les 10 plus gros mensonges sur l'économie* (chapitre 3) de Philippe Derudder et A-J Holbecq, éditions Dangles.

dage monétaire au plus haut niveau : européen et constitutionnel. Normalement, si leur plan aboutit, aucun peuple ne pourra plus jamais s'affranchir de la tutelle du système financier privé.

[...]

Dans l'état actuel d'affaiblissement des puissances publiques face aux multinationales privées, la protection des services publics passe, à mon sens, par **une réforme institutionnelle qui rend du pouvoir aux peuples, pouvoir nécessaire pour défendre eux-mêmes les services auxquels ils tiennent**, et cette réforme n'est possible que si l'assemblée constituante n'est pas composée d'hommes de partis car les partis ont un intérêt personnel à l'impuissance politique des citoyens, ce qui explique qu'ils ne nous donneront jamais le pouvoir qui nous est dû. Cela vaut pour la France comme pour l'Europe. »

Annexe 3.

Les monnaies complémentaires L'indicateur d'un courant citoyen en marche

Pour compenser le manque de monnaie et les carences du système d'une part, et pour remettre l'argent au service des hommes d'autre part, les citoyens de tous pays se sont organisés et continuent de s'organiser en utilisant çà et là des monnaies complémentaires initiées et gouvernés par eux. Rappelons-nous que l'argent n'est qu'une convention sociale fondée sur la confiance. Ainsi, il suffit qu'un groupe de personnes se mette d'accord sur une unité de compte et l'accepte en paiement pour qu'une monnaie « existe ». Ce courant est né dans les années 30. Les pionniers furent les habitants de Schwanenkirchen, commune de la forêt bavaroise, puis ceux de Wôrgl en Autriche, puis en France à Lignières-en-Berry, à Marans, à Nice... elles ont permis de survivre à des dépressions économiques ; d'autres, plus près de nous, comme avec le *berliner* ou le *time dollar* d'Ithaca, de recréer du lien social, sans oublier le peuple argentin qui a survécu à la faillite de son système financier grâce aux « *trueques* » (clubs d'échanges) et au *credito*, monnaie lancée par les Argentins eux-mêmes pour palier le manque de pesos[1]. Dans

1. Toutes ces expériences sont décrites dans la seconde partie du livre de Philippe Derudder, *Rendre la création monétaire à la société civile*, éditions Yves Michel.

les années 70, l'expérience des SELs (Système d'échanges locaux – ou LETS en anglais : Local exchange trading system), parti de l'ouest canadien, a touché l'Europe où ils se sont étendus. À ce jour, ce sont plus de 3000 expériences de monnaies alternatives ou complémentaires qui sont menées à la surface du globe et de nouvelles fleurissent tous les jours.

Si les SELs sont bien implantés en France, ils ne touchent que des groupes limités où les entreprises ne participent pas. Nous voulons donc porter à votre connaissance une expérience naissante mais prometteuse à laquelle nous pouvons tous apporter notre concours. **Il s'agit du système SOL**[1]. Comprenons-nous, ces expériences n'ont pas d'effet direct sur la dette mais elles s'attaquent à son germe, la privatisation de l'argent. Alors, ne vous y trompez-pas : ces expériences peuvent sembler n'être que gouttes d'eau dans la mer ne méritant pas qu'on s'y attarde. En réalité, elles sont le signe croissant du courant de réappropriation du pouvoir de création monétaire par le peuple. Si ce livre est parvenu à vous convaincre de l'illégitimité et de la nocivité du système actuel, à vous convaincre que la clé réside dans la création et la gouvernance de l'argent, alors devenez goutte d'eau vous-même afin que le courant devienne vague, puis marée...

SOL est originaire du collectif « Reconsidérer la richesse » inspiré des travaux de Patrick Viveret. Il bénéficie du soutien de Equal 2 du Fonds social européen, ainsi que des groupes Chèque Déjeuner, Crédit Coopératif, la Maif et la Macif.

Actuellement SOL s'expérimente dans cinq régions : Bretagne, Île-de-France, Nord-Pas-de-Calais, Rhône-Alpes et Alsace, ce qui n'exclut en rien que d'autres régions se manifestent et mettent en place le système

1. http ://www.sol-reseau.org/. Voir aussi sur le sujet des monnaies libres, fondantes ou non, le site de Jean-François Noubel : http ://www.thetransitioner.org/

sans attendre qu'il leur soit apporté. Nous laissons le soin à Patrick Viveret de vous le présenter.

Patrick Viveret répond aux questions de Reporterre, novembre 2007

Reporterre : Le capitalisme étend sans cesse l'échange marchand, le règne de la marchandise. Où en est l'échange aujourd'hui, est-il possible d'échapper à la marchandise, à cette extension infinie du rapport monétaire et de cet échange marchand ?

P.V. : *D'abord, le paradoxe que nous vivions, c'est que ce que Stiglitz appelle le fondamentalisme marchand, l'extension démesurée de la sphère de la marchandise à tous les aspects de la vie sociale, affective, politique, culturelle et même spirituelle, a comme effet de limiter, voire de détruire les possibilités d'échanges.*

La fonction normale de la monnaie, c'est d'être un fluide qui facilite l'échange et la création de richesse. Mais quand on a d'un côté une rareté artificielle de la monnaie, avec 3 milliards d'êtres humains qui vivent avec moins de 1 ou 2 dollars par jour, c'est l'équivalent d'une sous-monétarisation qui bloque l'échange. Et quand on a à l'autre bout les deux cents et quelques personnes qui ont un revenu cumulé égal à celui de milliards d'êtres humains, c'est le problème inverse. C'est une sur-monétarisation, qui fait que cet argent en excès ne se recycle plus dans l'économie réelle.

Les deux cas de figure, sous-monétarisation à un pôle, sur-monétarisation à l'autre, équivalant si l'on fait une analogie hydraulique à une inondation et une désertification, forment au contraire un facteur bloquant de l'échange.

L'une des raisons pour lesquelles les êtres humains survivent, alors que normalement ils devraient être morts depuis longtemps si les échanges n'étaient que marchands, c'est heureusement parce qu'il y a une vitalité d'échanges non marchands des sociétés humaines qui se manifeste sous d'autres formes. C'est l'émergence de ce que l'on a appelé les réseaux d'échanges de savoir, de temps, les monnaies parallèles ou les monnaies complémentai-

res. Les gens réinventent des capacités d'échange là où très souvent le système marchand devient un facteur de blocage de l'échange.

Reporterre : Est-ce que cela n'est pas très marginal, ces expériences ?

P.V. : *Cela reste marginal en regard de ce que brasse le capitalisme financier, mais ce marginal-là joue un rôle de prototype qui est très important, parce que nous sommes rentrés dans une phase de crise financière aiguë, qui est devant nous, qui n'est pas du tout derrière nous. Le grand problème qui va venir dans les mois et les années qui viennent, c'est : comment empêcher que cette crise financière dans l'économie spéculative débouche sans une récession dans l'économie réelle ?*

À ce moment-là, on sera bien content d'avoir des moyens d'échanges qui existent à type expérimental, mais qu'il faudra utiliser sur une base beaucoup plus large, de façon à éviter cette transmission de la crise financière à l'économie réelle.

C'est pour cela que des projets expérimentaux comme ce qu'on appelle le projet SOL, qui ne vise pas seulement comme les SEL à intervenir...

Reporterre : SOL, cela veut dire quoi ?

P.V. : *SOL, ce n'est pas un sigle. C'est un moyen d'échange d'utilité écologique et sociale, et c'est une monnaie solidaire. C'est SOL comme solidaire, c'est SOL comme soleil et terre, pour sa dimension écologique. C'est SOL comme l'ancien sou pour une réappropriation démocratique de la monnaie.*

Nous sommes dans l'équivalent d'un formidable coup d'état sur la monnaie. Sans aucun débat public, dans l'opacité la plus totale, à partir des années 1970, et aggravée ensuite par l'application de l'article 104 du Traité de Maastricht, qui est très peu connu, on a transféré le droit de création monétaire pour l'essentiel aux banques commerciales. Ceci s'est fait sans aucun débat public. Donc l'enjeu d'une réappropriation démocratique de la monnaie est décisif.

Et puis SOL, c'est aussi la référence à l'harmonie de la clé de sol.

Le SOL cherche à reprendre des éléments qui sont déjà existants, y compris dans les systèmes marchands plus classiques.

Par exemple tout le monde a l'expérience des cartes de fidélité. La technique des cartes de fidélité n'est utilisée que dans la logique lucrative. Là, on réutilise le cadre juridique et la technique des cartes de fidélité pour développer des stratégies de coopération au service de l'économie sociale et solidaire.

Reporterre : Concrètement, pouvez-vous donner un exemple précis ?

P.V. : *Par exemple, vous êtes dans une ville comme Lille, où le réseau SOL commence à s'implanter, vous allez dans une boutique de commerce équitable qui accepte le SOL. Vous allez régler une partie de vos achats en SOL. Vous allez prendre une assurance à une mutuelle de l'économie sociale et solidaire comme la MACIF, la MAIF. Vous allez, si vous prenez un contrat, recevoir par exemple des SOL ou alors une partie de votre contrat pourra être payée en SOL.*

Vous êtes dans une municipalité, un territoire, qui est entré dans la logique SOL. Par exemple, une des opérations qui se développe, c'est dans le troisième arrondissement de Paris. Il n'y a aucune raison de réserver le bio aux bobos. Donc c'est une opération où la municipalité démocratise, en quelque sorte, l'alimentation bio en permettant à des catégories défavorisées d'y avoir accès, par le biais du SOL, qui est attribué à une régie de quartier.

On utilise des systèmes qui existent, comme le principe de la carte de fidélité, comme le principe de la monnaie affectée. Lorsque vous avez un billet de train, un chèque déjeuner, cela veut dire qu'avec ce type de paiement, vous allez pouvoir faire telle catégorie d'achats. Donc, c'est un outil idéal pour favoriser par exemple de l'utilité écologique et sociale.

Reporterre : Comment gagne-t-on des SOLs ? Autrement dit comment est-ce que l'on transforme des euros en SOL ?

P.V. : *De deux façons. Il y a un autre usage de l'euro classique, dans ce cas-là, ce sont des euros reconvertis en SOL. On a une équivalence assez simple qui est un SOL égale dix centimes d'euros, c'est une convention. À chaque fois qu'on veut avoir un autre usage de la monnaie officielle, pour des activités d'économie sociale et solidaire de développement local, d'utilité éco-*

logique et sociale, on transforme des euros en SOL. C'est une première méthode.

L'autre, c'est la même que celle des SELs, des réseaux d'échange de temps. Là, la référence de l'échange, c'est une base à la minute. Là on organise des systèmes d'échange de temps avec une carte à puce. Le grand avantage de la puce, c'est qu'on peut mettre plusieurs systèmes d'échanges à l'intérieur d'une même puce. Quelqu'un qui est porteur de la carte SOL, on l'appelle un Soliste, aura à la fois un autre usage de l'argent, et en même temps, aura la possibilité, à travers le rapport au temps, de dire : le cœur de la richesse c'est le temps de vie.

C'est un aspect qui pour nous est essentiel. À travers ce projet SOL, c'est une façon de reprendre du pouvoir sur nos propres vies. En définitive, la richesse est liée à la richesse humaine, à la richesse écologique et à ce qu'on en fait, donc à la qualité de temps de vie que l'on est prêt à utiliser et à échanger.

Qu'arrive-t-il dans ce cas-là pour les gens qui ont beaucoup de temps, les chômeurs, mais qui n'ont pas de revenus ? Comment peuvent-ils rentrer dans un système SOL et mettre à profit – ce n'est pas le bon terme – valoriser ce temps disponible pour eux mais qui dans le système actuel est un temps mort socialement ?

C'est là que l'expérimentation que nous conduisons dans un certain nombre de territoires, avec l'appui de Conseils Régionaux, y compris dans le cadre du programme Equal européen, qui est un programme qui vise à lutter contre l'exclusion et pour l'égalité sociale, joue un rôle. Le rôle des collectivités territoriales, c'est de dire : nous reconnaissons la valeur du bénévolat, la valeur du temps apporté par des gens qui par ailleurs n'ont pas d'argent. Par conséquent, puisque nous reconnaissons cette valeur, il y a un certain nombre de biens et de services qui vont être garantis ou offerts par la collectivité territoriale, qui vont permettre qu'avec des SOLs acquis sur la base de la valorisation du bénévolat en temps, on va pouvoir avoir accès en même temps à des services culturels, à des biens, à des éléments de base, qui eux, classiquement seraient exprimés en euros.

Il faut bien voir que tout cela c'est une expérimentation, qui est extraordinairement transformatrice dans son principe, et par conséquent qui est très surveillée. On ne peut pas faire avec le SOL... on n'a pas la même liberté d'action qu'avec les SELs. Les SELs sont tolérés, ils ne menacent pas fondamentalement le système. Quand vous avez des Conseils Régionaux ou des entreprises aussi importantes que le Crédit Coopératif, la MACIF, tout cela est surveillé de près.

Il y aussi toute une dimension de projet politique. Il faut que la question de la monnaie soit remise au centre du débat public, que les citoyens refusent cette confiscation du rapport à la monnaie qui a été faite. Les débats que nous menons à chaque fois que nous lançons une expérimentation sur le SOL, sont aussi une façon de rouvrir le débat sur la question monétaire plus générale, de rouvrir un débat sur : qui a le droit de créer la monnaie, quel en est l'usage, et également sur la question des crises du capitalisme financier actuellement.

Reporterre : On voit bien l'idée, et on la partage, mais on a l'impression que c'est un fétu de paille contre une immense construction. Quand on voit que dans la crise financière qui a démarré cet été, la Banque Centrale Européenne a déversé en quelques jours, en quelques semaines, plus de 500 milliards d'euros, on se dit : que représentent les SOLs, qui en euros vaudraient quelques millions ?

P.V. : *Il y a évidemment une disproportion totale qui est de l'ordre du pot de terre contre le pot de fer. Mais il y a deux éléments à prendre en compte. Un, le pot de fer est sérieusement en train de se fissurer de l'intérieur. Ce que Jean Peyrrelevade a appelé le capitalisme total, est un capitalisme insoutenable. Vous ne pouvez pas avoir durablement 95 % des flux financiers qui n'ont plus aucun rapport avec l'économie réelle. Nous en sommes aujourd'hui à 4 000 milliards de dollars par jour qui s'échangent sur les places financières. La partie de ces 4 000 milliards qui correspondent à des biens et des services effectifs est de l'ordre de moins de 5 %. Donc ce système est insoutenable, et si aujourd'hui la crise démarre dans l'immobilier, elle continuera demain sur d'autres points parce que c'est la même crise que celle qui est arrivée à l'empire soviétique.*

Quand vous avez une distance trop grande entre une idéologie et la réalité, il y a un moment où cela finit par s'effondrer.

De la même façon qu'avant l'effondrement de l'empire soviétique on ne pouvait pas dire précisément cela va se passer à tel moment, de telle façon, mais bien avant la chute du mur de Berlin, des réseaux européens avaient prédit : ce système est devenu insoutenable, on peut dire aujourd'hui que le capitalisme total, le fondamentalisme marchand est devenu insoutenable.

Ce ne sont évidemment pas des projets comme le SOL qui vont le faire s'effondrer, mais il va entrer en crise de lui même. L'intérêt d'un projet comme le SOL c'est de dire : quand cette crise se produira, outre les effets bénéfiques que des projets comme le SOL produisent dès maintenant, c'est qu'il est aussi destiné à proposer des alternatives à un niveau beaucoup plus important lorsque ce type de crise financière se produira.

Il y a donc cette première question qui est essentielle, et deuxièmement, l'approche internationale de ce que l'on appelle les monnaies complémentaires, les systèmes d'échanges complémentaires, doit être articulée au plan des stratégies avec les batailles plus globales sur les régulations du système financier international. Ce n'est pas un moyen unique, mais c'est un des moyens, dans la boîte à outils, qui doit par ailleurs se compléter, s'organiser avec la lutte de tous les mouvements de l'altermondialisme sur le problème de la régulation du système financier international.

Le réseau Sol est dirigé notamment par Claude Alphandéry, ancien résistant français, banquier, économiste, président du Conseil national de l'insertion par l'activité économique et Patrick Viveret, magistrat à la Cour des Comptes, qui avait rédigé à la demande du gouvernement Jospin le rapport « Reconsidérer la Richesse », visant à redéfinir les indicateurs de richesse.

Référence : interview audio sur

http ://www.reporterre.net/entretiens/entretien-viveret-031107.php

Retranscrite sur http ://contreinfo.info/article.php3 ?id_article=1649

Annexe 4.

Lexique

Accord de pension : convention par laquelle une valeur est cédée tandis que le vendeur obtient simultanément le droit et l'obligation de la racheter à un prix déterminé, à un terme fixé à l'avance ou sur demande. Cette convention est analogue au prêt garanti, à cette différence près que la propriété des titres n'est pas conservée par le vendeur.

Une **action** est un titre de propriété d'une fraction du capital social d'une société. L'actionnaire a le droit de vendre ses titres, de toucher un dividende, a droit à l'information, a le droit de participer à l'Assemblée Générale et de voter.

Banque centrale européenne (BCE) : la BCE est au centre de l'**Eurosystème** et du **Système européen de banques centrales (SEBC)**, et elle est dotée de sa propre personnalité juridique conformément au **Traité** (article 107 (2)). Elle assure la mise en œuvre des tâches confiées à l'Eurosystème et au SEBC, par ses activités propres ou par celles des BCN (banques centrales nationales), conformément aux statuts du SEBC. La BCE est administrée par le **Conseil des gouverneurs** et par le **Directoire**, ainsi que par un troisième organe de décision, le **Conseil général**.

Banque commerciale : Établissement qui dispose d'une part du droit d'émettre de la monnaie de crédit sous forme de prêts hypothécaires et de crédits aux entreprises, d'autre part de gérer les fonds de tiers.

Contrepartie centrale : entité qui s'interpose entre les **contreparties** à une transaction, agissant en tant qu'acheteur auprès de tout vendeur et en tant que vendeur auprès de tout acheteur.

Créancier : personne ou organisme prêteur, ce qui entraîne une dette du débiteur.

Débiteur : personne ou organisme qui a emprunté de l'argent, et qui par conséquent porte une dette envers son créditeur ou créancier.

Trois instruments sont les supports de la **dette négociable** de l'État français :

- Les **OAT** (obligation assimilables du Trésor) ; titres à long terme (10 à 50 ans) ; soit à taux fixe, soit à taux variable, soit de capitalisation (zéro-coupon), soit à taux indexé sur l'inflation.
- Les **BTAN** (bons du Trésor à intérêts annuels) sont des valeurs assimilables du Trésor émises pour des durées de 2 ou 5 ans.
- Les **BTF** (bons du Trésor à taux fixe et à intérêt précompté) sont des titres assimilables du Trésor de maturité initiale inférieure ou égale à un an.

Eonia (taux moyen pondéré au jour le jour de l'euro) : mesure du taux d'intérêt effectif prévalant sur le marché interbancaire au jour le jour en euros. Il est calculé comme la moyenne pondérée des taux d'intérêt sur les opérations de prêt en blanc, au jour le jour, libellées en euros, communiqués par un panel de banques participantes.

Escompte : le porteur d'un effet de commerce qui a besoin de liquidités avant l'échéance peut porter l'effet de commerce « à l'escompte » auprès d'une banque commerciale. Il va recevoir en monnaie la valeur de l'effet diminué de l'escompte ou intérêt.

Établissement financier : c'est une entreprise qui s'occupe d'affaires financières, comme les banques, les sociétés de fiducie, les sociétés de courtage de valeurs, les compagnies d'assurances, les sociétés de crédit-bail et les investisseurs institutionnels.

Une banque est toujours un établissement financier, un établissement financier n'est pas nécessairement une banque. Seules les banques ont le pouvoir de créer la monnaie par le crédit alors que les autres établissements financiers sont tenus de disposer des fonds qu'ils prêtent.

Établissement de crédit : (1) entreprise dont l'activité consiste à recevoir du public des dépôts ou d'autres fonds remboursables et à octroyer des crédits pour son propre compte ; ou (2) entreprise ou toute autre personne morale, autre qu'un établissement de crédit au sens du (1), qui émet des moyens de paiement sous la forme de monnaie électronique.

Euribor (taux interbancaire offert en euros) : taux auquel une banque de premier rang est disposée à prêter des fonds en euros à une autre banque de premier rang, communiqué par un panel de banques participantes et calculé quotidiennement pour les dépôts interbancaires assortis d'échéances différentes inférieures ou égales à douze mois.

Eurosystème : système de banque centrale de la **zone euro**. Il comprend la **Banque centrale européenne** et les BCN des États membres ayant adopté l'euro.

Garanties : actifs mis en nantissement ou transférés (aux banques centrales par les **établissements de crédit**, par exemple) en garantie du remboursement de concours, ou actifs cédés (par les établissements de crédit aux banques centrales, par exemple) dans le cadre d'**accords de pension**.

IFM (institutions financières monétaires) : institutions financières qui, considérées globalement, forment le secteur émetteur de monnaie de la **zone euro**.

Elles incluent l'**Eurosystème**, les **établissements de crédit** résidents (au sens du droit communautaire) ainsi que toutes les autres institutions financières résidentes dont l'activité consiste à recevoir des dépôts, et/ou de proches substituts des dépôts, d'entités autres que les IFM et qui, pour leur propre compte (du moins en termes économiques), consentent des crédits et/ou effectuent des placements en valeurs mobilières.

Lettre de change : c'est une reconnaissance de dette mais également un effet de commerce par lequel un créancier (le tireur) ordonne à son débiteur (le tiré) de payer à une date donnée (l'échéance) une somme déterminée à une personne (le bénéficiaire) dont le nom est inscrit sur l'effet. Le bénéficiaire peut être le tireur lui-même ou toute autre personne à qui l'entreprise doit de l'argent.

Marché monétaire : marché sur lequel sont empruntés, placés et négociés des capitaux à court terme au moyen d'instruments assortis en règle générale d'une échéance initiale inférieure ou égale à un an.

Monnaie : la création de monnaie est une création de droits sur la richesse produite. L'octroi de crédit correspond à une création de monnaie utilisée par le bénéficiaire du crédit.

Monnaie fiduciaire : la monnaie de papier et les pièces (monnaie divisionnaire) sont la monnaie fiduciaire (du latin *fiducia*, confiance). Seule la Banque Centrale est autorisée à émettre la monnaie fiduciaire qui représente 15 % de l'agrégat M1.

La monnaie Banque centrale (monnaie centrale) :

Une banque commerciale a besoin de monnaie banque centrale pour :

- répondre aux demandes d'espèces,
- acheter des devises,
- régler ce qu'elle doit aux autres banques après compensation.

Les banques trouvent cette monnaie banque centrale dans :

- les billets déposés par les clients,
- leur compte courant à la Banque Centrale
- le refinancement

Les **obligations** sont des valeurs mobilières émises lors d'un emprunt et placées sur le marché boursier et représentant une créance. Elles peuvent être émises par les sociétés cotées en Bourse, l'État ou les collectivités locales. Elles donnent droit à un revenu fixe ou variable (intérêts) et au remboursement de la somme avancée.

Opération de cession temporaire : opération par laquelle la banque centrale achète ou vend des titres dans le cadre d'un **accord de pension**, ou accorde des prêts adossés à des **garanties**.

Opération d'*open market* : opération réalisée à l'initiative de la Banque centrale sur les marchés de capitaux. La BC peut intervenir sur ce marché inter- bancaire en achetant ou en vendant des liquidités pour faire varier le taux d'intérêt.

Opération principale de refinancement : **opération d'*open market*** que l'**Eurosystème** effectue de manière régulière sous la forme d'une **opération de cession temporaire**. Ces opérations sont réalisées par voie d'appels d'offres normaux hebdomadaires et sont normalement assorties d'une échéance d'une semaine.

Option : instrument financier qui donne à son détenteur le droit, et non l'obligation, d'acheter ou de vendre un actif spécifique (une obligation ou une action, par exemple) à un cours préalablement fixé (prix d'exercice) au plus tard à une date ultérieure définie à l'avance (date d'exercice ou d'échéance).

Réescompte : Les banques commerciales qui ont besoin de liquidités portent cet effet de commerce à la Banque Centrale. Cette opération s'appelle le réescompte

Le **refinancement** est l'opération qui consiste pour une banque commerciale à se procurer de la « monnaie centrale » lui permettant de régler ses dettes à l'égard des autres banques ordinaires (dettes résultant de la compensation) et non, comme beaucoup le pensent, de financer par des dépôts existants dans d'autres banques les demandes de crédits de leurs clients. Elle a lieu sur le marché interbancaire en l'obtenant de concurrents qui en ont trop ou en l'empruntant à la Banque Centrale contre intérêts. La Banque Centrale peut influencer ces échanges en offrant plus ou moins de sa monnaie sur le marché et ainsi peser sur le taux que les banques commerciales répercuteront à leurs clients (des taux élevés étant censés diminuer les demandes de crédits et donc la création monétaire des banques commerciales).

Réserves obligatoires[1] : en application de l'article 19.1 des statuts du SEBC, les établissements de crédit établis en France sont assujettis à la constitution de réserves obligatoires sur des comptes ouverts sur les livres de la Banque de France.

Le système de réserves obligatoires remplit deux fonctions principales :

- contribuer à la stabilisation des taux d'intérêt du marché monétaire, les réserves pouvant être constituées en moyenne ;
- élargir la demande de monnaie de Banque centrale en créant ou accentuant un déficit structurel de liquidités sur le marché.

Risque systémique : risque que l'incapacité d'un établissement à faire face à ses obligations à l'échéance empêche, à leur tour, les autres établissements de remplir les leurs lorsqu'elles seront exigibles. Une telle défaillance peut entraîner d'importants problèmes de liquidité ou de crédit et, par conséquent, menacer la stabilité des marchés de capitaux ou la confiance dans ces derniers.

1. http ://www.banque-france.fr/fr/poli_mone/regle_poli/œuvre/page1c.htm

Taux directeur : la Banque centrale peut décider du taux d'intervention auquel elle prêtera la monnaie centrale aux banques commerciales. C'est le taux directeur : qui influence le taux d'intérêt proposé aux clients.

Titre de créance : promesse par laquelle l'émetteur (emprunteur) s'engage à effectuer un ou plusieurs versements au détenteur (prêteur) à une ou à des dates déterminées à l'avance. Ces titres sont généralement assortis d'un taux d'intérêt spécifique (coupon) et/ou sont vendus avec une décote par rapport au montant qui sera remboursé à l'échéance. Les titres de créance dont l'échéance initiale est supérieure à un an sont classés dans les titres à long terme.

Titrisation : technique financière qui consiste, pour une entreprise, à transformer des créances ou d'autres actifs (par exemple des prêts en cours) en titres financiers vendus à des investisseurs sur le marché des capitaux. Cette technique est particulièrement utilisée par de gros établissements (entreprises, banques, organismes de crédits...) pour se financer ou réduire leurs risques en cédant des créances telles que des prêts, factures, engagements de crédit, ou autres actifs.

À propos des auteurs

André-Jacques Holbecq

Pilote de ligne, ayant terminé sa carrière sur un avion prestigieux, il revient à ses premières études : l'économie. Il nous apporte un regard citoyen sur l'économie au travers de ses livres, articles et sites web. En nous aidant à changer nos points de vue, loin des discours « politiquement corrects » qui tentent de culpabiliser le citoyen, le salarié et le contribuable, il analyse plusieurs dysfonctionnements de notre économie, tels la monnaie, le déficit ou la dette.

Auteur de : *Un regard citoyen sur l'économie*, Éd. Yves Michel, 2002. *Une alternative de société: l'écosociétalisme,* Préface de Patrick Viveret, Ed Yves Michel, 2005. *Les 10 plus gros mensonges sur l'économie*, co-écrit avec P. Derudder pour les éditions Dangles, 2007.

Animateur des sites :

http://www.fauxmonnayeurs.org

http://tiki.societal.org

http://www.10mensonges.org

Philippe Derudder

Formé pendant dix ans, sur le terrain, aux rouages de l'entreprise, il reprend, en 1980, la direction de l'entreprise familiale qu'il porte, en cinq ans, avec son équipe, à une dimension internationale. En 1992, pour mettre sa vie en cohérence avec ses valeurs, il choisit de démissionner de ses fonctions pour contribuer, de façon différente, à la mutation qu'il ressent comme indispensable. Ce choix l'amène à explorer et expérimenter comment l'homme génère pénurie et abondance, sous tous ses aspects, dans sa vie personnelle comme dans ses organisations socioprofessionnelles. Il vit aujourd'hui, moitié au Québec, moitié en France, où il partage depuis le fruit de ses recherches et expériences dans ses livres, conférences et ateliers. Il anime l'association AISES (Association Internationale pour le Soutien aux Economies Sociétales) dont le but est de soutenir des expériences visant à mettre l'économie et l'argent au service de l'homme et de la planète.

Auteur de : *La renaissance du plein emploi ou la forêt derrière l'arbre*, Éd. Guy Trédaniel, 1997. *Les aventuriers de l'Abondance* - Prix spécial Ch. Vidal 2000 pour une alternative de vie, Éd. Yves Michel. *Rendre la création monétaire à la société civile*, Éd. Yves Michel. *Les 10 plus gros mensonges sur l'économie*, co-écrit avec A.-J. Holbecq pour les éditions Dangles, 2007.

Toutes les encres et les vernis utilisés sont certifiés d'origine végétale.
Les eaux de mouillage des machines, les plaques, les produits
de développement et les chutes de papier sont recyclés.

Imprimerie certifiée IMPRIM'VERT.